Reynaldo Hahn

Ô mon bel inconnu

Véronique Gens
Olivia Doray
Éléonore Pancrazi
Thomas Dolié
Yoann Dubruque
Carl Ghazarossian
Jean-Christophe Lanièce

Orchestre National Avignon-Provence
Samuel Jean

Reynaldo Hahn

Ô mon bel inconnu

Premier enregistrement intégral

PREMIÈRE ÉDITION LIMITÉE ET NUMÉROTÉE À 3500 EXEMPLAIRES
FIRST LIMITED AND NUMBERED EDITION OF 3500

cet exemplaire a le numéro
this copy is number

1666

PALAZZETTO
BRU ZANE
CENTRE
DE MUSIQUE
ROMANTIQUE
FRANÇAISE

'Opéra français / *French opera*' series

Editorial direction: Alexandre Dratwicki / Palazzetto Bru Zane
Project management: Camille Merlin / Palazzetto Bru Zane
Editorial consulting: Carlos Céster
Design: Valentín Iglesias
English translations: Charles Johnston

© 2021 Palazzetto Bru Zane – Centre de musique romantique française
San Polo 2368 – 30125 Venice – Italy
bru-zane.com

ISBN: 978-84-09-24354-9
Legal deposit: Madrid, October 2020 – M-27326-2020
Made in Spain

Sommaire

Contents

Le Palazzetto Bru Zane – Centre de musique romantique française a pour vocation la redécouverte et le rayonnement international du patrimoine musical français du grand XIXe siècle (1780-1920). Il s'intéresse aussi bien à la musique de chambre qu'au répertoire symphonique, sacré et lyrique, sans oublier les genres légers qui caractérisent « l'esprit français » (chanson, opéra-comique, opérette). Installé à Venise dans un palais de 1695 restauré spécifiquement pour l'abriter, ce centre, inauguré en 2009, est une réalisation de la Fondation Bru. Il allie ambition artistique et exigence scientifique, reflétant l'esprit humaniste qui guide les actions de la fondation. Les principales activités du Palazzetto Bru Zane, menées en collaboration étroite avec de nombreux partenaires, sont la recherche, la conception de concerts et de spectacles, l'édition de partitions et de livres, le soutien à des projets pédagogiques et la production et la publication d'enregistrements discographiques sous le label Bru Zane. Ce label participe à la découverte des œuvres méconnues du grand XIXe siècle français à travers ses livres-disques, ses coffrets thématiques et ses formats plus traditionnels.

BRU-ZANE.COM

Bru Zane Classical Radio – la webradio de la musique romantique française :
BRU-ZANE.COM|CLASSICAL-RADIO

Bru Zane Mediabase – ressources numériques autour de la musique romantique française :
BRUZANEMEDIABASE.COM

Bru Zane Replay – mise en ligne de vidéos de concerts et spectacles :
BRU-ZANE.COM|REPLAY

The vocation of the Palazzetto Bru Zane – Centre de musique romantique française is the rediscovery and international promotion of the French musical heritage of the period 1780-1920. Its interests range from chamber music to the orchestral, sacred and operatic repertories, not forgetting the lighter genres characteristic of the 'esprit français' (chanson, opéra-comique, operetta). The Centre was inaugurated in 2009 and has its headquarters in a Venetian palazzo dating from 1695 specially restored for this purpose. It is an emanation of the Fondation Bru. It combines artistic ambition and scholarly rigour, reflecting the humanist spirit that guides the foundation's policy. The principal activities of the Palazzetto Bru Zane, implemented in close collaboration with a wide range of partners, are research, the conception of concerts and staged productions, the publication of scores and books, support for educational projects, and the production and release of recordings on the Bru Zane label. The label's remit is to contribute to the discovery of neglected French works of the long nineteenth century through its CD-book sets, its thematic boxed sets and its releases in more traditional CD formats.

BRU-ZANE.COM

Bru Zane Classical Radio – the web radio of French Romantic music:
BRU-ZANE.COM/CLASSICAL-RADIO

Bru Zane Mediabase – digital resources focusing on French Romantic music:
BRUZANEMEDIABASE.COM

Bru Zane Replay – streaming videos of concerts and staged productions:
BRU-ZANE.COM/REPLAY

LIVRES-DISQUES DU PALAZZETTO BRU ZANE
THE PALAZZETTO BRU ZANE'S BOOK+CD SERIES

Connaître l'*Inconnu*

Est-il si étonnant que le Palazzetto Bru Zane, dont l'activité se dédie à la redécouverte du romantisme français, consacre de temps à autre son énergie à défendre la musique de l'Entre-Deux-Guerres ? Des partitions comme *Ô mon bel inconnu*, signées par des artistes héritiers du XIXᵉ siècle nourris de Saint-Saëns et éduqués par Franck ou Massenet, subirent l'ostracisme de la fin du XXᵉ siècle, accusées de n'être pas assez pimentées par la modernité de Schönberg, de Strauss ou de Ravel. N'appartenant clairement pas au courant contemporain, ces opérettes furent rangées dans les tiroirs de l'Histoire au même moment où la musique romantique française en général amorçait son propre naufrage (hors *Carmen*, *Faust* et *Les Contes d'Hoffmann*).

Que de trésors dorment ainsi, prêts à resurgir avec succès à la moindre occasion, pour peu qu'on leur en donne les moyens et qu'on les traite avec le même respect qu'une symphonie sérieuse ou qu'un grand opéra tragique. *Ô mon bel inconnu* est un parfait exemple de ces splendeurs dépolies. Le livret est signé par un maître du bel esprit français – Sacha Guitry – et la musique révèle la maturité d'une plume aguerrie à la comédie de mœurs, celle du délicat Reynaldo Hahn. L'orchestration de la partition vaut à elle seule le détour : si le compositeur n'ajoute aux cordes qu'une flûte, deux clarinettes, un basson, un saxophone, un piano et un percussionniste, il tire de cet ensemble restreint des sonorités luxueuses dont l'ouverture et les entractes profitent au maximum. L'alternance habile entre des numéros proches de l'esprit du café-concert (« Qu'est-c' qu'il faut pour être heureux ? » ou « J'connais l'rayon ») et des pages d'inspirations encore romantique (l'air d'Antoinette et le « trio du Bel Inconnu » en particulier) relance sans cesse l'intérêt de l'auditeur et permet à Hahn de déployer toute la palette de son talent.

Il fallait rassembler une distribution irréprochable pour ranimer ce joyau des Années folles. Sous la baguette experte de Samuel Jean – depuis longtemps rompu à ce répertoire –, on découvrira la gouaille ou le chic de sept chanteurs francophones à la personnalité bien trempée. Certains connaissent depuis longtemps ce genre de musique, d'autres – à l'image de Véronique Gens – font quasiment leurs premiers pas dans une vocalité particulière, ayant accepté de bon cœur un travail de préparation intensif et une reconsidération de leur manière habituelle de chanter, pour ressusciter au mieux les exigences et les spécificités de cette esthétique.

L'opportunité d'enregistrer Ô mon bel inconnu a confronté l'équipe du Palazzetto Bru Zane à la question du dialogue parlé, certes spirituel et plaisant, mais ici d'une longueur qui se prête mal à l'écoute discographique. Taillader aux ciseaux ce savoureux mélange de plaisanteries et de jeux de mots, troussé avec une verve que seul l'abattage scénique peut pleinement révéler, était dommage. On s'est donc résolu à n'enregistrer que les morceaux musicaux (mais sans coupure et incluant même les brèves transitions de l'acte III qui rythment les entrées des personnages) et à proposer le livret intégral (chant et dialogue) en annexe de ce livre-disque, également traduit en anglais.

L'équipe du Palazzetto Bru Zane

Affiche d'*Ô mon bel inconnu* pour la création.
Collection Palazzetto Bru Zane.

Poster for the first run of *Ô mon bel inconnu*.
Palazzetto Bru Zane Collection.

Sacha, Reynaldo et le *Bel Inconnu*

Christophe Mirambeau

Si je dis « Reynaldo » quand je parle de lui, c'est parce qu'il y entre nous un point – je voudrais qu'il en eût plusieurs – un point de ressemblance : nous nous sommes fait, l'un et l'autre, un prénom.

(Sacha Guitry, *Le Matin*, 3 octobre 1933)

10 janvier 1933. 112ème et dernière représentation du *Mozart*, signé Guitry et Hahn au Théâtre de la Madeleine. La comédie en musique, créée en 1925, avait tout naturellement renoué avec le succès – le triomphe – qui l'avait accueillie sept ans plus tôt. Yvonne Printemps/Mozart avait de nouveau mis Paris à ses pieds, tandis que Sacha avait cédé son rôle du Baron Grimm au très estimable Georges Mauloy. Printemps sans Guitry, marqueur incontestable d'une relation très dégradée. Le détail n'est pas sans importance dans l'aventure qui va occuper Reynaldo Hahn et Sacha Guitry dans les mois qui suivent. Tandis qu'Yvonne a séduit Pierre Fresnay avec qui elle entretient une liaison sans presque s'en cacher, Sacha joue déjà la comédie avec celle qui deviendra la troisième Madame Guitry – Jacqueline Delubac. On peut supposer que Sacha avait initialement imaginé – ainsi que quelques indices du livret le laissent à penser – qu'*Ô mon bel inconnu* serait la nouvelle pièce musicale qu'il interpréterait avec Yvonne. La voix ensorcelante de cette dernière, son charme, son esprit et sa musicalité sans faille n'avaient pas été pour rien dans le retentissant succès des revues et comédies musicales de Sacha. Mademoiselle Printemps avait conquis tout autant le public de théâtre que les mélomanes... et les

compositeurs. Mais la désagrégation du plus célèbre couple parisien, à la ville comme à la scène, rebattait toutes les cartes. *Ô mon bel inconnu* serait la première œuvre dramatico-musicale de Sacha sans Yvonne depuis treize ans, mais également son ultime incursion dans le genre. Pourquoi Guitry a-t-il poursuivi ce projet musical malgré l'absence de son interprète fétiche ? L'œuvre de Sacha, qui se lit également au prisme de sa vie, nous autorisera peut-être à penser que le mari-auteur signifiait ici à sa future ex-épouse-interprète qu'elle ne lui était pas tant indispensable pour faire un succès d'opérette... Quant à Reynaldo Hahn, il ne retrouverait son interprète de *Mozart* qu'au cinéma, à l'occasion de *La Dame aux camélias*, dont il écrit les trois chansons sur des lyrics d'Albert Willemetz.

La collaboration Guitry/Hahn ne doit rien au hasard. André Messager avait renoncé à composer la partition de *Mozart* – jugeant qu'il ne parviendrait pas à mettre un tel sujet en musique – et Sacha s'était tourné vers Hahn. Celui-ci, fidèle et proche ami de Sarah Bernhardt (elle-même très liée aux Guitry père et fils), semblait un choix logique. Passionné d'art dramatique et, tout comme Messager, véritable musicien de théâtre, Hahn maîtrise à la perfection les arcanes de l'écriture et de l'expression vocale. Cette dernière ne repose pas, selon lui, sur des critères purement musicaux, mais sur le rapport de la voix au texte et sur la conjugaison de leur expressivité propre. Les discours du compositeur à ce sujet sont courus du Tout-Paris mélomane, et ses propos font autorité. Philippe Blay précise dans son *Reynaldo Hahn* : « Si ses conférences sur le chant se conforment davantage au genre de la causerie plutôt qu'à celui du cours, Hahn tente d'y faire un tour complet du sujet, élargissant les questions purement vocales à celles de l'interprétation et de l'esthétique. Le programme en est éloquent : pourquoi chante-t-on et comment ? Comment dire en chantant ? Qu'est-ce que le style ? Comment émouvoir ? D'où vient la décadence du chant ? Qu'est-ce qu'un chant expressif et un chant descriptif ? Qu'est-ce que le goût ? Dénominateur commun à toutes ces interrogations, le rapport entre le texte et la musique lui tient particulièrement à cœur. La qualité de la déclamation est primordiale dans cette relation et il prône donc sans réserve la "soumission de la musique à la parole" :

> La parole [...], chargée de sentiment et de pensée, communique à la mélodie une signification, lui confère une action directe et précise sur l'esprit et sur le cœur. Si, de la parole ou de la mélodie, l'un devait dominer, il n'est pas discutable que ce serait la parole ; le bon sens l'ordonne en même temps que le sens artistique.
>
> (Reynaldo Hahn, *Du chant*)

Partant de ce principe, Hahn accorde une place essentielle à la prosodie et ne croit pas "qu'on puisse 'bien dire', vraiment bien dire, et tout à fait mal chanter", *a contrario* "un chant [...] beau simplement par lui-même [...] ne constitue pas une œuvre d'art" ».

Sacha est extrêmement admiratif du savoir et du sens de l'expression vocale de Reynaldo. On peut lire, dans une lettre de 1933 conservée dans les archives de la famille Hahn :

> Il faut que je vous dise quel souvenir exquis nous conservons de votre passage ici. Quel charme vous avez ! Vous tenez toutes les promesses qu'on se fait à soi-même en vous attendant – et il y a toujours une surprise. Cette fois, la surprise, ç'a été le « Mes Enfants » de *M. de Charrette* [chanson royaliste de Paul Féval (1853)]. Quel est le chanteur, quel est le comédien qui pourrait mettre tant de noblesse et tant d'amour et tant d'espoir en un seul mot !

Et il est parfaitement conscient de la difficulté que représente la mise en musique de ses vers irréguliers et de ses numéros musicaux sans « coupe ». Car le vers « guitryque » contient en soi-même sa scansion propre et sa propre musique. Guitry est le musicien du mot – chaque groupe de vers libres, de prose assonancée est pensé telle une *phrase musicale* – couleur et rythme – qui, fondamentalement, peut se suffire à elle-même. Le rythme métré musical et la couleur mélodique apportés par le compositeur peuvent, s'il n'y prend garde, détruire la saveur particulière des vers de Sacha. Guitry déclare à quelques jours de la générale du *Bel Inconnu* :

Travailler avec Reynaldo Hahn, c'est travailler avec Reynaldo. C'est une joie incomparable. Dame ! C'est que je ne suis pas homme à faire des couplets comme les fait si bien le « maître des lyrics », mon très cher Albert Willemetz. Mes vers, à moi, sont inégaux, bizarres, libres et singuliers : les unijambistes voisinent avec les mille-pattes ! Mais Reynaldo s'en accommode, grâce à Dieu. Reynaldo Hahn, ainsi que le faisait Messager, ainsi que l'ont toujours fait les grands musiciens, compose sa musique sur les vers qu'on lui donne.

(*Excelsior*, 1er octobre 1933)

Notons également que la distribution réunie aux Bouffes et pour laquelle écrit le tandem d'auteurs est constituée de comédiens chantants – et non de chanteurs qui jouent, ce qui, on s'en doute, n'est pas sans conséquence sur les choix d'écriture vocale.

Hahn confie aux lecteurs du *Matin* (3 octobre 1933) la genèse – réaménagée pour l'occasion, car la rencontre évoquée ne peut avoir eu lieu « il y a trois mois » – de cette nouvelle collaboration :

Lorsqu'il y a trois mois j'ai rencontré Sacha Guitry dans un couloir de théâtre et qu'il m'a dit du ton dont on donne une information précise : « Nous faisons ensemble une opérette pour la réouverture des Bouffes », je lui ai répondu « Vous devez vous tromper ! ». Car, en effet, je croyais savoir – et de source certaine – que je travaillais déjà à trois ouvrages et que je n'étais pas prêt à en entreprendre un quatrième.

De fait, Hahn est loin d'être désœuvré : outre l'opérette en cours avec Alfred Savoir – supposée prendre la suite du *Garçon de chez Prunier* (André Barde / Joseph Szulc) aux Capucines printemps 1933 (mais qui ne verra finalement pas le jour) –, le compositeur travaille à son *Marchand de Venise* et prépare déjà sans doute *Malvina*, deux ouvrages créés presque concomitamment en mars 1935 à l'Opéra et à la Gaité-Lyrique. Mais Guitry est persuasif.

La presse officialise la naissance de l'œuvre nouvelle au mois de mai 1933 :

> Aux Bouffes-Parisiens – La première nouveauté que montera ce théâtre, la saison prochaine, est une comédie musicale de M. Sacha Guitry, dont la partition sera signée Reynaldo Hahn. M. Aquista-pace a été engagé pour en créer le rôle principal.
>
> (*Excelsior*, 19 mai 1933)

Le Matin précise même la date de la répétition générale, arrêtée au 29 septembre. Ce nouvel opus Guitry/Hahn doit succéder à la brillante reprise de *Phi-Phi* de Willemetz et Christiné qui fait les beaux soirs des Bouffes. On peut situer la mise en musique du livret de Guitry dans le courant premier semestre 1933. Guitry communique ses écritures à Reynaldo fin 1932 :

> Cher Reynaldo,
>
> j'attends ce soir ma secrétaire qui arrive de Paris, et dans 48 heures vous aurez, recopiés, la scène et les couplets de Guy Ferrant et d'autres couplets encore. Mais comme je suis contrarié de ne pas vous les lire ! Bien moins en qualité *d'auteur* que de *comédien*, car j'y vois des effets scéniques impossibles à expliquer par lettre et que seuls, le rythme et certains temps peuvent provoquer. Vous êtes un adorable musicien, mais je ne suis peut-être pas un très mauvais acteur.
>
> À vous des deux mains, Sacha Guitry.
>
> (Archives de la famille Hahn)

Le travail de collaboration ne va pas sans quelques frottements. Guitry a beau être le grand Sacha, Hahn n'en demeure pas moins pointilleux et exigeant. Le musicien abhorre toute forme de vulgarité – une vulgarité que Guitry, resté très potache, aime parfois à effleurer dans ses revues ou dans son théâtre musical. Reynaldo exhorte Sacha d'en éliminer toute trace, et finit par obtenir gain de cause :

Eh bien ! supprimons-le, le second couplet de la jeune fille sur les chapeaux [air n°3 : « Allons, Monsieur, laissez-moi faire »], s'il vous paraît obscène. Vous me l'aurez dit trois fois. La première fois, j'en ai douté, la deuxième fois, je l'ai refait, la troisième fois, je le supprime.

(Lettre de Guitry à Hahn, [été 1933 ?],
archives de la famille Hahn)

En revanche, vous m'avez empoisonné la vie en me demandant de vous allonger la chanson du « pinçon » [duo n° 4, « Vous m'avez pincé le derrière ! »]. Je le ferai, bien sûr, mais quand nous nous serons revus. Je suis ravi de tout ce que vous avez écrit déjà pour ma pièce. J'ai hâte d'être à la lecture, j'ai hâte d'être à la générale, j'ai hâte d'être à la Centième...

(Lettre de Guitry à Hahn, [été 1933 ?],
archives de la famille Hahn)

Guitry est rompu aux exercices publicitaires de son temps, et justement, toute publicité étant toujours bonne à prendre, il laisse tomber quelques miettes dans la sébile des échotiers alors que les deux artistes sont encore en plein travail :

Sacha télégraphie – Sacha Guitry se repose à La Baule [...]. « Se repose » est une façon de parler. L'autre jour, Reynaldo Hahn lui télégraphie ceci : « Il me faut quatre vers pour terminer mon opérette ». [...] Et une demi-heure après, Sacha répondait :
« Reynaldo Hahn, 7 rue Greffulhe, Paris.
Eh bien, que pensez-vous, monsieur, de la riposte ?
Tandis que je reçois votre dépêche ici
Vous recevez mes vers à Paris par la poste,
Quant à mes amitiés très vives, les voici. »
Sacha Guitry

(*Excelsior*, 22 juillet 1933)

La création est préparée avec grand soin. Albert Willemetz, directeur des Bouffes, a tenu à ce que le décor soit construit et peint pour la première répétition. « Nous allons savoir [...] si j'ai bien fait d'écrire *Ô mon bel inconnu* et si Reynaldo Hahn n'a pas eu tort de le mettre en musique », s'inquiète Sacha Guitry dans *Excelsior* à quelques jours du lever de rideau. « Nous avons fait une opérette – non, ce n'est pas une opérette, qu'est-ce que c'est au juste ? Je n'en sais trop rien – enfin nous avons fait quelque chose qui a trois actes et qui doit se jouer dans deux jours » ajoute Reynaldo Hahn qui semble incertain de la dénomination de genre du nouvel ouvrage, signifiant en cela la subtilité et la complexité du terme catégoriel « comédie musicale » que Sacha a noté sous le titre de l'ouvrage – ainsi que ce fut déjà le cas pour *L'Amour masqué* (André Messager) en 1923, *Mariette* (Oscar Straus) en 1928 et, concernant Hahn, à l'occasion de *La Carmélite* (1902) et du *Temps d'aimer* (1926). On aurait de nos jours tendance à ranger par principe comédie musicale et gaieté dans le tiroir étiqueté « folichonnades » – alors qu'il ne s'agit pas de contenu mais de forme d'ouvrage. En effet, si *La Carmélite* est une « comédie musicale », elle l'est en raison de sa destination – l'Opéra-Comique –, de la continuité musicale qui exclut toute scène dialoguée parlée hors musique et une découpe en scènes plutôt qu'en airs, ensembles, duos, trios etc., et, enfin, le type d'interprètes requis – chanteurs lyriques. Elle s'apparente à la « comédie lyrique » des XVIIe et XVIIIe siècles, dont des ouvrages tels *Fortunio* (Messager, 1907) ou *Maroûf* (Rabaud, 1913) sont une forme de résurgence Belle Époque. La « comédie musicale » des années 20 procède d'une autre nature. *La Petite Fonctionnaire*, comédie à succès du début du siècle, devient un spectacle lyrique en 1921. C'est André Messager qui écrit la partition de cette... comédie musicale. Messager, à qui la longue fréquentation des *musical comedies* du *West End* londonien aura inspiré la dénomination d'un genre d'ouvrages à l'exigence relevée, où la partie texte ne cède en rien à la partie musicale. La « comédie » est une pièce véritable dans laquelle s'interpole la part « musicale », en des numéros tout aussi consistants. Tel sera *L'Amour masqué* sous la plume de Messager et Guitry – lequel en adopte et popularise l'intitulé de genre – au point qu'on lui en

arroge souvent la paternité –, y ajoutant toutefois le détail qui en para-
chève sa définition moderne : elle est avant tout écrite à l'usage de comédiens chantants. Et c'est de cette filiation que procède *Ô mon bel inconnu*
que le terme de « comédie musicale » distingue, au surplus, de l'opérette
courante du temps – jazz, swing, viennoise.

Les répétitions musicales sont dirigées par Reynaldo, secondé par un
jeune chef qui fera une grande carrière dans le répertoire léger : Marcel
Cariven. Le compositeur remercie le jeune artiste au lendemain de la
Générale dans un courrier que les échotiers s'empressent de rendre
public :

> *Bouffes-Parisiens* – M. Reynaldo Hahn a adressé à M. Marcel Cariven,
> chef d'orchestre des Bouffes-Parisiens, la lettre suivante :
> « Mon cher ami,
> Je tiens à vous remercier encore de l'aide précieuse que vous
> m'avez apportée au cours des études si délicates et parfois si
> malaisées de *Ô mon bel inconnu*. C'est une joie d'avoir à ses côtés,
> dans ces moments-là, un artiste de votre qualité, un musicien
> instruit, raffiné, qui comprend tout à demi-note, et qui, par sur-
> croît, se donne à sa tâche avec un dévouement acharné. Laissez-
> moi vous exprimer ma vive reconnaissance et veuillez être
> l'interprète de mes sentiments affectueux auprès de notre cher
> et admirable petit orchestre.
> Reynaldo Hahn »
>
> (*Excelsior*, 9 octobre 1933)

Lors de la générale – donnée en matinée, puisque Guitry, jouant le soir
aux Variétés, n'aurait pu y assister –, Reynaldo Hahn descend du balcon
et prend la baguette. Il dirige l'acte deux. Aux saluts, l'ovation faite aux
auteurs est immense. Voilà de quoi bien augurer de l'avenir de la pièce,
car, ainsi que l'indique *L'Œil de Paris* (14 octobre), « ce début de saison
n'est vraiment pas brillant. La plupart des théâtres sont plus qu'à demi
vides. Seuls les music-halls font salle comble tous les soirs. Les opérettes

attirent aussi du monde : *Le Pays du sourire* tient toujours l'affiche et *Ô mon bel inconnu* promet d'être un succès ».

La critique ne tarit pas d'éloges. Henri Malherbe s'extasie dans les colonnes du *Temps* (11 octobre), exprimant l'avis de tous :

> La partition de *Ô mon bel inconnu* est d'une liberté de conception qu'on ne retrouve pas dans les compositions antérieures de M. Reynaldo Hahn. On s'aperçoit de cet affranchissement des dogmes dès l'ouverture de la comédie musicale. [...] Telle est cette partition, ciselée avec une élégance sans pareille, instrumentée avec maîtrise. On se croirait devant une improvisation très poussée, devant une grande musique traitée avec enjouement. Si indépendant ou simple qu'il veuille sembler, M. Reynaldo Hahn n'abandonne jamais son bien-dire ou plutôt son bien-chanter. Sous ses dehors nonchalants, il cultive avec une pureté absolue la langue musicale. [...] La dernière œuvre de l'auteur de *Nausicaa* est d'un ordre supérieur, d'un accomplissement entier ; grâce à elle, le musicien sera enfin classé par le public au rang éminent qu'il mérite et que nous lui avions depuis longtemps désigné.

Le bel esprit de Sacha Guitry est ardemment loué. On s'est amusé de ses facéties et de ses fantaisies inimitables, qu'il renouvelle inlassablement : scènes triviales donnant lieu à de désopilants numéros musicaux – ici, le petit déjeuner de la famille Aubertin, comme deux saisons plus tôt à la Madeleine (*La S.A.D.M.P*, Guitry/Beydts) où l'air d'entrée d'Henri Morin évoquait pendant trois minutes les marches et l'escalier qu'il est en train de gravir –, étourdissant final d'acte deux, aux étincelants jeux de mots, hilarant duo « de l'alphabet » tout droit issu de ce « L.S.K.C.S.KI » publicitaire que Guitry imagina en 1911 pour le fabricant de lait sec et de cacao Elesca, et bien d'autres pages encore où toute la verve fantasque de l'auteur s'épanouit dans une éblouissante volte spirituelle. La distribution recueille tous les suffrages – sauf Simone Simon, au filet de voix par trop délicat. Aquistapace, baryton-basse « de l'Opéra » devenu acteur, charme encore une fois ; Guy Ferrant séduit par son jeu naturel et son ténor élégant ; Abel Tarride, très aimé du public parisien, emporte la salle en une poignée de secondes dès son entrée. René Koval, un ami de collège de Sacha – Guitry ne l'aimait pas, aussi son rôle est-il muet jusqu'au final de l'ouvrage... – épate par le succès qu'il réussit à faire dans le rôle sans texte qui lui échoit, et Suzanne Dantès est une irrésistible Antoinette. Arletty incarne une pétaradante Félicie, au comique savoureux. Émile Vuillermoz rapporte dans *Excelsior* (7 octobre) :

> Une distribution extrêmement brillante défend ce délicieux ouvrage. Le rôle du chapelier psychologue est tenu avec une rare maîtrise par Aquistapace. En réalité, c'était un rôle pour Sacha Guitry qui l'aurait joué d'incomparable façon, mais Aquistapace le chante peut-être mieux. Tarride n'a eu qu'à paraître pour s'emparer de toute la salle, la tenir dans le creux de sa main et la pétrir à son gré. Quel admirable comédien ! Koval est arrivé à une telle virtuosité dans la gamme de ses jeux de physionomie que Sacha s'est amusé à le faire applaudir dans un rôle muet. Guy Ferrant, chanteur de classe et comédien élégant, a donné beaucoup d'allure à un rôle assez difficile à tenir. Pierre Vyot a été tout à fait charmant dans un emploi non moins délicat, et Numès fils a triomphé dans une silhouette de garçon de magasin dessiné avec une force et une truculence admirables. La distribution féminine est dominée par la prodigieuse force comique d'Arletty qui, les dents serrées, la physionomie épanouie et les yeux pétillants de malice, donne à toutes ses répliques et à ses couplets une saveur inimitable. Son succès a été éclatant et parfaitement mérité. Mlle Suzanne Dantès prête beaucoup d'agrément à l'épouse incomprise qui se voue d'avance au « bel inconnu » qui la consolera. Et Mlle Simone Simon, dont les habitués de cinéma connaissent bien l'amusante petite moue d'enfant gâtée, a jeté sur le tapis une seule carte, celle de sa fraîche jeunesse, et a gagné la partie.

Mais Poucette, spectatrice parisienne et lectrice de *La Femme de France* n'est pas du même avis et s'en ouvre au courrier des lectrices (6 mai 1934) :

> Je viens de voir aux Bouffes-Parisiens *Ô mon bel inconnu* ; je n'aurais jamais cru que Guitry, qui choisit ses interprètes d'une si subtile façon, puisse nous donner une artiste d'aussi piètre envergure que Simone Simon. Elle est laide, maniérée, chante très mal et autour de moi, pendant la représentation, j'ai entendu pas mal de critiques à son égard, et je me demande comment, avec les belles artistes que nous avons et qui attendent vainement un engagement, on peut nous présenter une pareille médiocrité ; quant à celui qui fait le rôle du fiancé [Guy Ferrant], j'avais envie de lui envoyer, avec quelques pommes cuites, une garde-robe complète.

Le spectacle reste à l'affiche des Bouffes-Parisiens pendant 92 représentations. Le succès est total. Radio-Paris radiodiffuse l'ouvrage en direct des Bouffes le 9 novembre 1933 à 20h45, le jour même de la sortie du film *Ciboulette*, d'Autant-Lara, d'après l'opérette de Reynaldo Hahn. La firme Pathé enregistre les titres de *Ô mon bel inconnu* entre le 30 novembre et le 18 décembre 1933. Bel écho de ces représentations qui n'eurent pas de postérité parisienne. Le théâtre des Bouffes-Parisiens distribuait de petits documents publicitaires sur lequel s'épanouissaient des extraits critiques d'*Ô mon bel inconnu* – dont celui-ci, paru dans *Le Journal* :

> Sacha Guitry et Reynaldo Hahn ont en commun cette légèreté de touche, ce voile d'ironie jeté sur une tendresse frémissante, qui unis dans une même gerbe, font de leur nouvelle œuvre un des plus délicieux spectacles qui se puissent voir. L'esprit, le cœur et l'oreille, y trouvent chacun leur compte.

Il en est toujours de même près de quatre-vingt-dix ans plus tard.

———

O MON BEL INCONNU...

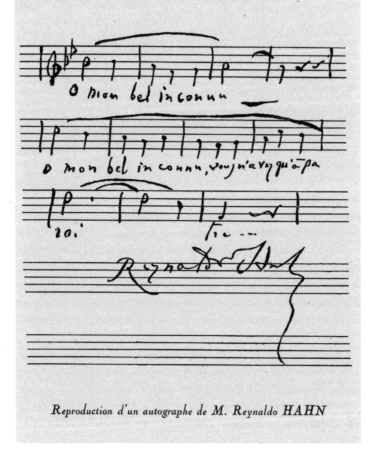

Reproduction d'un autographe de M. Reynaldo HAHN

Motif musical du *Bel Inconnu* autographe reproduit dans le programme de salle de la création. Collection J. Gana.

Autograph of the 'Bel Inconnu' theme reproduced in the programe for the first run. J. Gana Collection.

Le soir de la première

Paul Le Flem et al.

(*Comœdia*, 7 octobre 1933)

Qui donc prétendait que le théâtre était mort en France ? Rien que cette semaine, nous avons vu jouer plusieurs pièces de qualité, – quelle joie que ce retour à la qualité ! – et dans les genres les plus divers, depuis la tragédie jusqu'à la revue. Et après le succès des œuvres amères, émouvantes ou atroces de MM. Jacques Deval, Alfred Savoir et Paul Demasy, voici une comédie musicale de M. Sacha Guitry qui n'est que sourires, grâce et fantaisie. Ce n'est pas Sacha Guitry qui change sa manière. Pour lui, le théâtre reste un lieu d'enchantement, un divertissement, et avec *Ô mon bel inconnu*, M. Reynaldo Hahn et lui nous ont donné une œuvre légère, exquise, qui a remporté, hier, le plus joli succès. M. Sacha Guitry possède une qualité précieuse entre toutes, que j'appellerai l'optimisme poétique. Elle lui permet de féeriser les sujets les plus prosaïques, et d'embellir, pour notre plus grand amusement, les réalités les plus plates. Un auteur dramatique doit être, pour lui, un magicien.

Voyez un peu ce qu'il est parvenu à faire, comme en se jouant, du sujet de *Mon bel inconnu*. Qu'imagineriez-vous, sous ce titre romanesque ? Tout, sauf une boutique de chapelier. Et pourtant, Prosper Aubertin, honnête commerçant, vend des chapeaux, assisté de sa femme Antoinette, de sa fille Marie-Anne et de sa bonne Félicie. L'existence n'est pas bien drôle, parmi tous ces chapeaux. Aussi la famille Aubertin passe son temps à se disputer et à s'ennuyer. L'ennui est souvent le commencement du rêve, et le brave chapelier commence à rêver d'aventures. Que fait-il ? C'est bien simple : il fait paraître dans un journal une annonce : « Monsieur, célibataire, désire trouver âme sœur. » Il reçoit cent cinquante réponses. Il en choisit une signée d'une comtesse, et il lui fixe un rendez-vous. Mais deux autres lui arrachent des cris de surprise et d'indignation : elles sont l'une de l'écriture de sa femme, l'autre de celle de sa fille. Puis il réfléchit et s'attendrit. Elles ne sont donc pas heureuses de leur sort, elles non plus, puisqu'elles cherchent autre chose. Alors, il leur répond, – en déguisant son écriture – et après un échange de lettres tendres et romanesques, il leur fixe aussi un rendez-vous, autant pour les confondre et leur jouer une bonne blague, que pour leur prouver, à peu de frais, leur part de rêve. Chacune d'elles, y compris Félicie, – car c'est elle la comtesse – fredonne et soupire *Ô mon bel inconnu* en allant au rendez-vous. Il n'est pas tout près, ce rendez-vous : dans une villa du Pays basque, qu'Aubertin a louée pour huit jours. Et ses trois femmes, redevenues charmantes par l'espoir que l'inconnu a mis en elles, vont s'y retrouver. M. Sacha Guitry-Aubertin tire avec une dextérité amusée tous les fils de l'intrigue innocemment galante. Le propriétaire de la villa, M. Victor-Abel Tarride, ramène Antoinette, déjà troublée et décidée à sauter le pas, dans la voie du devoir, et prend pour lui Félicie. Reste Marie-Anne, la délicieuse jeune fille. Bah ! ce n'est pas plus compliqué de tout arranger. On lui fera croire que c'est un charmant jeune homme, qui l'avait remarquée dans la boutique paternelle, qui lui a écrit à la poste les lettres qui l'ont fait rêver, et le jeune homme, conseillé par Sacha Guitry, à qui on ne résiste pas, fait même le voyage de Biarritz pour venir dans la villa demander la main de Marie-Anne à son père.

Étienne Rey

LA MUSIQUE

Une exquise atmosphère musicale enveloppe la comédie de Sacha Guitry. Elle est d'un maître qui sait unir l'émotion à l'art le plus délicat. La musique jaillit ici avec verve et séduit par sa grâce, par son aisance à suivre la mobilité des scènes, par une fantaisie qui double celle des personnages.

Elle est, de plus, cette musique, d'une distinction sans morgue. Elle garde un atticisme qui se reconnaît à la finesse de la mélodie, à la vivacité piquante des accords, ou au pétillement amusé des timbres. Dès le prélude, l'auditeur sent qu'il est conduit par un musicien sur qui la trivialité n'a pas prise. Reynaldo Hahn nous rappelle la vieille tradition du goût français dont nous avions été détournés par le dévergondage de ces dernières années.

L'émotion n'abdique pas plus dans la musique que dans la pièce. Elle est intense, à la fin du premier acte, quand Aubertin chante *Je suis celle que vous cherchez*, morceau presque poignant à force de sincérité. Une tendresse en demi-teinte pénètre le duo [sic : trio] *Ô mon bel inconnu*, ainsi que cet autre duo où mari et femme se découvrent une fraîcheur de cœur qu'ils croyaient avoir remplacée, sur le tard de leur vie, par le goût du romanesque amoureux.

Dans une note sentimentale et légère, voici un duo, puis un air où, indulgente, la femme, déjà effleurée par les ans, mais prête encore à courir le risque d'être aimée, s'attendrit gentiment sur son infidélité naissante. Sur le même mode, le délicieux duo où nos deux jeunes gens marivaudent de charmante manière avant le mariage imminent, conclusion d'une aventure courue par deux cœurs qui se sont passionnément cherchés avant de se rencontrer. Mais, dans cette pièce de bonne humeur, il y a de gaie et remuante musique, éloignée de toute grasse bouffonnerie. Rappelez-vous, au début, les couplets de la soubrette au verbe et au sens délurés, le brillant et pétillant trio de la dispute de famille, la joviale paraphrase d'Aubertin, en difficulté avec son téléphone, le spirituel couplet du propriétaire de la villa, l'aguichant et malicieux duo entre l'incendiaire soubrette et cet amoureux qui, en dépit des ans, a toujours confiance en la chaleur de son sang. Je n'oublie pas le spirituel final, traité avec une verve irrésistible.

Les préludes d'orchestre, ravissants chefs-d'œuvre, attestent le goût symphonique du musicien. L'orchestre s'y montre vif, bondissant. Jamais lourd. Chaque timbre est utilisé dans le charme, avec un tact qui révèle le musicien et l'artiste au goût sûr. Vous voulez vous laisser envelopper par la subtilité incisive de cette instrumentation et vous aimez ce paysage sonore si bien dessiné à la française. La limpidité de tons, reposante, s'accompagne de la transparence d'une écriture mordante, respectueuse des voix, ajoutant au style la vivacité et l'éclat.

Mérites que l'excellent orchestre du théâtre mit en valeur, sous la direction nette, expressive et vivante de M. Marcel Cariven. Au deuxième acte, Reynaldo Hahn conduisit, acclamé par un public conquis et séduit.

Paul Le Flem

L'INTERPRÉTATION

Cette comédie musicale, où M. Reynaldo Hahn fait alterner ce que l'on peut appeler de la musique pure et la fantaisie chantée, exigeait l'interprétation d'une troupe rompue aux assouplissements vocaux, tandis que le texte de l'auteur réclamait surtout des comédiens.

Il fallut donc composer une troupe mixte et trouver les compromis heureux. M. Aquistapace, qui s'était révélé un excellent comédien en ses créations précédentes, mais avait dû garder toutes ses qualités de chanteur, se rencontra à point pour être l'interprète rêvé du bonhomme Aubertin. Il le joue avec une alerte humeur, beaucoup de finesse et de sensibilité. Cette sensibilité, il l'exprime surtout dans les passages chantés. Il s'est remarquablement adapté à la musique de la partition et à la façon dont il faut chanter la fin du premier acte dans les demi-teintes, se jouant des difficultés du thème qu'il module, dirai-je, mi-parlé, mi-chanté et, à la fois, des répliques portant tout le poids d'une fin d'acte. Nous le retrouvons surtout comédien au second acte, ne craignant pas d'accentuer la note vaudevillesque de certains côtés de l'ouvrage. Il est parfait de mesure, de paternelle émotion au troisième acte. Sa voix reste étendue, il ne la charge pas, sauf dans les endroits parodiques ; sa diction est nette, domine discrètement l'orchestre. Son double succès de chanteur et de comédien fut très vif et des plus mérités. C'est évidemment plus au comédien qu'au chanteur que l'on s'adressa en requérant de M. Abel Tarride le soin d'interpréter au troisième acte le rôle du propriétaire de la villa. M. Tarride, qui chanta naguère du Claude Terrasse, a fait un courageux appel aux souvenirs lyriques que pouvaient avoir conservés ses cordes vocales, et est excellent dans ses duos légers. Sa souriante bonhomie et son autorité lui font par ailleurs dessiner un fort plaisant Monsieur Victor. M. Guy Ferrant a de l'élégance, un joli timbre et un sens du comique, joué et chanté, convenant à son rôle d'amoureux obstiné. M. P. Vyot est chaleureux et sympathique ; il a la diction surtout nécessaire aux parties chantées de son rôle. M. Numès fils est tout à fait drôle dans une silhouette d'employé résigné, aux réparties bourrues. De la voix de M. Koval, il n'y a rien à dire, vu qu'il interprète le rôle d'un muet. Ce n'est qu'à la fin de la pièce qu'il a deux ou trois couplets à chanter, dont il se tire comme bien l'on pense ; ils n'offrent du reste pas la moindre difficulté musicale. Son muet s'exprime par gestes et par grimaces. S'il n'est pas très comique, reconnaissons que ce n'est point de la faute de l'artiste.

La révélation de cette matinée fut la voix de Mme Suzanne Dantès. De nombreuses créations de premier plan l'avaient affirmée comme une de nos plus agréables comédiennes. Elle vient de se prouver cantatrice, avec un joli timbre de soprano léger et une aisance à conduire sa voix qui lui ont valu de nombreux applaudissements. Elle chante délicieusement l'air [sic : trio] « Ô mon bel inconnu ! » et met en juste valeur les autres parties chantées de son rôle. Mlle Simone Simon possède une voix d'un volume restreint, mais de qualité indéniable ; elle s'en sert avec beaucoup de grâce. Ce qu'elle fait est intelligent, tout en restant très jeune, très frais, très dans son personnage. Son jeu de comédienne est non moins aimable. Mlle Arletty type avec son comique particulier et sa voix amusante le personnage de Félicie, bonne au tempérament accueillant et à la gouaille enjouée. Elle se met néanmoins aisément aux ensembles et détaille plaisamment les airs qu'elle a à chanter, seule ou de compagnie. Ces trois comédiennes chanteuses ne trahissent ainsi en rien le compositeur.

Les décors sont très nouveaux, d'un modernisme de structure séduisant, ménageant des entrées et des sorties par escaliers, du plus réjouissant effet. Le décor de la chapellerie dans un passage est d'une exactitude rigoureuse. Celui de la villa à Biarritz est lumineux dans la note claire et non moins exacte, cadre en rapport avec une action toute de fantaisie.

Armory

[Les chapeaux de l'opérette *Ô mon bel inconnu*, aux Bouffes-Parisiens, ont été fournis par la Maison Léon. Léon a également installé le magasin de chapellerie.]

LES ÉLÉGANCES DE LA PIÈCE

Ce ne sont pas des peignoirs de théâtre que portent Suzanne Dantès et Simone Simon au premier acte de *Ô mon bel inconnu* mais des vêtements délicieux, élégants sans faste et qui contribuent à créer une atmosphère parfaite. Celui de Mlle Dantès est en crêpe de Chine blanc à rayures écossaises, satinées et vertes. Le peignoir de Simone Simon est en shantung imprimé de pois multicolores. L'un et l'autre sont frais, gais, chics et signés Poirier.

Clorinde

———

Portrait de Sacha Guitry par Charles Gerschel.
Musée Carnavalet, Paris.

Portrait of Sacha Guitry by Charles Gerschel.
Musée Carnavalet, Paris.

L'opérette : mère ou sœur de la comédie musicale ?

Alexandre Dratwicki

Curieuse histoire que celle des « genres lyriques légers » français. Disqualifiée par la postérité à partir des années 1960, elle connaît aussi en elle-même une bataille vaine et infondée : l'opposition entre l'opérette et la comédie musicale. À l'une la décadence romantique, à l'autre la verve spirituelle de la modernité : choc du ringard et du « *in* », en quelque sorte. Qu'en est-il exactement ?

Un premier constat révèle un distinguo terminologique erroné : ce que le faux érudit nomme « opérette » du XIXᵉ siècle s'appelle presque toujours « opéra-bouffe » (chez Offenbach par exemple) ou « opéra-comique » (chez Lecocq, notamment). La même imprécision se répète dans les années 1920 puisque ce que l'on désigne comme une « comédie musicale » n'est souvent pas autre chose qu'une « opérette » (éventuellement « légère ») d'après les pages de titre des partitions elles-mêmes. *Coups de roulis* de Messager (1928) ? une opérette ; *L'Amour masqué* du même (1923) ? encore une opérette ; *Brummel* de Reynaldo (1931) ? toujours une opérette ; *Ta Bouche* de Maurice Yvain (1923) ? décidément une opérette... Alors, peu importerait cette incertitude terminologique ? Elle montre pourtant que les objets en comparaison sont plus étroitement liés qu'il n'y paraît dans la pensée des auteurs eux-mêmes : les compositeurs de 1920 inscrivent leurs ouvrages dans une filiation revendiquée grâce à des précisions génériques dont ils ont une parfaite connaissance. La séparation en deux genres, qui apparaîtrait *ex nihilo* en 1914, est donc une construction de l'Histoire qui n'a aucun fondement scientifique. Ce n'est qu'après la Libération, dans les années 1950, que le terme de « comédie musicale » s'impose définitivement, y compris – notons-le bien – à l'occasion de certaines rééditions de partitions, permettant de désigner *a posteriori* sous ce vocable plus actuel le répertoire des Années folles afin de le rendre aussi moderne que possible dans l'esprit du public, sans doute sous la pression de producteurs et d'éditeurs en mal de succès commerciaux. La confusion installée aura la vie longue puisqu'elle dure encore.

L'abondance du répertoire sous une désignation ou l'autre est évidemment un marqueur de son succès. La permanence de nouveaux titres, publiés à un rythme parfois effréné, permet de rappeler que la France des années 1860-1900 est le pays le plus prolifique en matière d'ouvrages légers. Qu'en est-il après 1914 ? Là encore, malgré une idée répandue tout à fait caduque, ce n'est pas Broadway, mais bel et bien Paris qui demeure le premier centre de production d'opérettes pendant les Années folles : entre 1920 et 1930, on a représenté près de 400 pièces différentes dans la capitale française, c'est-à-dire plus qu'à Londres ou à New York.

Un autre point commun entre les partitions des XIXe et XXe siècles tient à leurs lieux de création. La nature des théâtres secondaires occupés par Hervé ou Offenbach (Bouffes-Parisiens, Variétés, Déjazet, Folies-Concertantes, etc.) est exactement la même que celle des salles où l'on produit Christiné, Yvain ou Reynaldo Hahn (Théâtre Michel, Capucines, La Michodière, Marigny, Bobino, Apollo, Gaîté Lyrique, Édouard VII, Théâtre Daunou, etc.). Les jauges de spectateurs sont très variables, mais le rang des théâtres est globalement identique dans le panorama de la capitale, ainsi que leur mode d'exploitation et de financement. C'est aussi – et surtout – un public populaire similaire qui fréquente ces espaces, et dont les attentes en matière de spectacle, de musique et d'humour ne varient pas d'un soir à l'autre.

Or, précisément, une autre idée reçue consiste à penser que le répertoire des Années folles aurait balayé d'un revers de main les ouvrages des années 1870. Là encore, il n'en est rien : l'ancien répertoire se maintient et trouve ses défenseurs. Titres modernes et titres anciens se croisent ainsi sur les mêmes scènes. Certains auteurs, comme Willemetz, vont d'ailleurs rafraîchir des partitions d'Offenbach et Lecocq en retouchant leur livret pour les rendre plus actuels. En 1934, Marigny programme *La Créole* (avec rien moins que Joséphine Baker dans le rôle-titre), puis l'Apollo propose *Les Cent Vierges* de Lecocq en 1942. Vient ensuite le tour d'une nouvelle *Grande-Duchesse de Gérolstein* remaniée par Willemetz et d'un *Surcouf* de Planquette du même cru, tous deux en 1947. Les exemples de ce type sont légion, plus encore dans les provinces où les théâtres municipaux rentabilisent les mises en scène d'opéra-bouffes anciens, chèrement fabriquées avant la Première Guerre.

Opérettes et comédies musicales sont aussi, bien entendu (et peut-être avant tout), affiliées par une structure musicale absolument identique. Toutes deux alternent numéros chantés et dialogues, toutes deux s'achèvent de manière heureuse, et toutes deux se distinguent de l'opéra-comique par l'utilisation d'une musique dite « légère » et non « savante ». L'écriture des voix convoque d'ailleurs les mêmes emplois : on ne trouve qu'exceptionnellement des sopranos coloratures ou dramatiques, tous les ténors sont peu aigus, les « barytons Martin » (écrits en clef de sol) utilisent la voix mixte, à l'aigu de leur tessiture, dans les passages de tendresse, et – bien sûr – les personnages au caractère trempé sont légion. Les postures types des Années folles (femme volage, père tyrannique, soubrette espiègle, etc.) ne renouvellent ainsi en rien la galerie lyrique des ouvrages écrits vers 1860.

La différence artistique entre les deux répertoires consisterait en l'intégration, par la comédie musicale, des nouvelles musiques populaires venues notamment des États-Unis, en particulier le jazz. Est-ce à dire que l'opérette d'Offenbach faisait la sourde oreille à ses propres modernités ? Bien au contraire : les auteurs des années 1870 convoquent le galop, le chahut et le cancan ; ceux des années 1890 font appel au nouveau tango ou au cake-walk (par exemple dans *Miss Dollar* de Messager). Cette modernité du discours passe aussi par l'introduction d'harmonies inusitées : les couplets du *flirt* – le mot à lui seul sonne très « 1930 » – tirés de *La Saint-Valentin* de Toulmouche sont d'une lascivité et d'une rythmique que des compositeurs de l'Entre-deux-guerres n'auraient pas désavoué, mais datent pourtant de... 1895. Un test à l'aveugle sur des ouvrages de la décennie 1890-1900 serait sans doute source d'amusantes confusions de ce type, révélatrice d'une permanence esthétique que l'Histoire veut gommer.

La proximité musicale entre opérette et comédie musicale réside aussi pour partie dans la similitude de leurs instrumentarium. Conçues pour des théâtres dont les fosses ne permettent pas un orchestre au grand complet – pas plus que ne pouvaient se l'autoriser les budgets d'exploitation de ce genre de spectacle –, les nomenclatures se contentent de certains pupitres à l'unité : chez Offenbach, seulement un hautbois, un basson, un trombone la plupart du temps. Chez Hervé (comme chez Hahn), un seul percussionniste assume de jouer les timbales, le triangle, la grosse caisse et le tambour. Dans les deux cas également – opérette et comédie musicale –, des reprises pour des salles plus ambitieuses sont l'occasion d'étoffer l'orchestration : Lecocq rajoute un hautbois, un basson, deux cors et deux trombones à sa *Fille de Madame Angot* (Hervé fait de même pour une reprise de *L'Œil crevé*, et Offenbach pour toutes les exécutions de ses partitions à Vienne) au même titre qu'Yvain étoffe son *Yes !* pour des effectifs successifs de plus en plus pléthoriques dans les années 1930.

On a voulu encore opposer les deux genres par la nature de leur sujet. Selon Jacques Gana,

> Désormais [dans le répertoire des Années folles], l'action se déroule dans le monde contemporain et les thèmes empruntent aux chansonniers et à la mode : satires des mœurs modernes

(jeunes filles « libérées », jupes courtes et coiffures à la garçonne), de l'art moderne (les amateurs d'Art de *Gosse de riche*), de l'affairisme et des politiciens véreux (industriel des pâtes alimentaires de *Yes!*, député breton de *Kadubec*, conseil des ministres fantoches de *Encore cinquante centimes*...), allusions fréquentes à l'histoire contemporaine (sosie de Rudolph Valentino et Russes blancs fuyant les bolcheviques dans *Bouche à bouche*, domestiques communistes dans *Yes!*...).

Mais... tout cela n'est-il pas déjà dans l'opérette ? La *Mam'zelle Nitouche* d'Hervé ne fréquente-t-elle pas le Montmartre de son temps ? Les bourgeois américains de *Miss Dollar* ne sont-ils pas bien de leur époque ? L'adjoint au maire du *Petit Chaperon rouge* de Serpette ne brandit-il pas les lois de 1885 ? Et – c'est là tout le sel de l'histoire – Adam et Ève de Serpette, dans l'opéra-bouffe éponyme, ne sont-ils pas précipités directement du jardin d'Eden vers le Paris de la date de création (1886) qui doit leur servir d'Enfer ? Quant à relever dans *La Vie parisienne* toutes les références aux actualités de 1866, mieux vaut y renoncer tant elles sont nombreuses. À l'inverse, il est tout aussi simpliste de penser que les sujets anciens – au premier rang desquels l'Antiquité – seraient systématiquement évincés après les années 1910 : *Phi-Phi* de Christiné, modèle privilégié du répertoire des Années folles (et sous-titré « opérette légère »), narre ainsi les amours du sculpteur grec Phidias en... 1918. Et l'affiche de la création ne cache en rien son inspiration néo-antique.

Le genre particulier de la féerie verse sa part de confusion dans ce mélange bouillonnant. Il entretient un rapport étroit aussi bien avec l'opérette qu'avec la comédie musicale, ce qui prouve une fois encore leur proximité (alors que l'opéra s'intéresse moins couramment aux sujets féeriques si l'on en croit le peu d'exemples dans les catalogues de compositeurs). La féerie apparaît au milieu du XIXe siècle et se développe d'abord en parallèle de l'opérette, avec laquelle elle fusionne peu à peu : *Le Voyage dans la lune* et *Le Roi Carotte* d'Offenbach, mais aussi *Ali-Baba* de Lecocq marquent l'apothéose de cette rencontre des genres dans les années 1870-1890.

En parallèle, des titres comme *Miss Dollar* de Messager incluent de leur côté des tableaux chorégraphiques très développés, hérités de la tradition du ballet spectaculaire cultivé à Londres, mais aussi aux Folies Bergère. Sans être construites sur une trame dédiée véritablement à la féerie ou au « grand spectacle », ces partitions dévoilent une débauche de moyens pour conclure avec splendeur. Or, une résurgence très peu étudiée de la féerie est visible dans les années 1930 : ce sera l'« opérette à grand spectacle » (que l'on confond souvent avec la comédie musicale) dont le temple sera le théâtre du Châtelet. Durant les 35 ans pendant lesquels Maurice Lehmann le dirige, des poursuites à cheval, des batailles navales au milieu d'une mer déchaînée ou encore de spectaculaires éruptions volcaniques sont les « clous » de partitions écrites sur mesure pour son plateau unique. Après la Libération, le genre « à grand spectacle » survit principalement au Théâtre Mogador, dans les œuvres de Francis Lopez qui profite de la vogue immense du jeune ténor Luis Mariano.

On ne peut, pour finir, distinguer l'histoire de l'opérette et de la comédie musicale de celle – exactement concomitante – dè la chanson de café-concert. Tous les grands librettistes sont en effet aussi auteurs de pages illustrant ce genre (« Félicie aussi », de Willemetz, par exemple). Le style et l'esthétique de ce répertoire évoluent avec une souplesse remarquable des années 1860 aux années 1950 : autant certains titres pour le Moulin Rouge anticipent de beaucoup l'art de Maurice Chevalier et de Mistinguett, autant plusieurs succès des années 1940 lorgnent encore sur la vocalité et l'esthétique des chansons de Paulus et de Thérésa.

L'essor du cinéma, enfin, est également un important vecteur de diffusion de la musique légère. De nombreuses comédies musicales de Willemetz ont ainsi été transposées à l'écran. Mais le 7e art puise tout autant dans le répertoire d'opérette (comme, à plusieurs reprises, *Mam'zelle Nitouche* d'Hervé), prouvant bien que l'esprit des deux genres ne forme qu'un aux yeux et aux oreilles du public du xxe siècle. Il n'est dès lors pas étonnant de constater que l'un et l'autre répertoire feront naufrage au même moment, succombant sous les mêmes critiques, mais pour renaître aujourd'hui en suscitant le même enthousiasme.

Publicité de Jules Cheret pour une halle aux chapeaux parisienne.
Musée Carnavalet, Paris.

Advertising poster by Jules Cheret for a Parisian hat emporium.
Musée Carnavalet, Paris.

Du chant en général

Reynaldo Hahn

(extrait de *L'Initiation à la musique*, Édition du Tambourinaire : Paris, 1935)

La *vocalise,* le *phrasé* et la *déclamation lyrique* sont, je crois pouvoir le déclarer, les trois fondements du chant.

La *vocalise* est – ou plutôt devrait être – à la base de tout travail vocal. Chaque fois qu'on exécute, fût-ce dans un mouvement très lent, une suite de notes émises sur une seule voyelle, on fait une vocalise, mais on entend plus communément par ce mot une suite de notes *rapides* comportant des difficultés diverses, sons filés, ornements de toute espèce, arpèges, gammes diatoniques et chromatiques montantes et descendantes, liées ou piquées, etc.

À vrai dire, il n'est pas indispensable à tous les chanteurs de parvenir à la maîtrise dans cette branche du chant, où brillent surtout les voix légères et qui n'a son application que dans certaine musique et dans certains « emplois ». Mais on ne saurait nier que la vocalise soit un exercice de premier ordre pour ceux-là mêmes dont la voix, le genre de talent et les rôles n'ont que faire de l'agilité, car elle ne peut manquer de donner à leurs organes vocaux une souplesse et une mobilité des plus utiles à qui veut phraser avec goût, d'une façon expressive et nuancée. En outre, il y a de la musique qu'on ne saurait aborder si l'on n'est pas capable de bien vocaliser : pour ne citer que peu d'exemples les oratorios de Bach et de Händel, certains opéras de Mozart, les opéras de l'école romantique italienne, Rossini, Bellini, etc.

Le *phrasé* consiste à faire entendre une phrase musicale, une mélodie, (c'est-à-dire une série de notes accompagnées ou non de paroles), d'une façon homogène, nette et impeccablement juste, en faisant bien valoir ses contours et ses nuances, en respectant sa ponctuation (c'est-à-dire ses arrêts plus ou moins longs), tout en lui donnant l'*accent* et *les accents* imposés par le sentiment de la musique, et s'il s'agit d'un chant avec paroles, par la signification des mots.

L'étude de cette partie du chant englobe celle de la *respiration considérée au point de vue expressif,* celle du style et celle du coloris musical. Le *style* est indiqué par le goût et consiste dans un ensemble de détails qui donne à la musique qu'on chante le caractère et l'allure prescrits par l'époque, le pays où elle fut composée et par la personnalité même du compositeur. Le *coloris,* comme le mot lui-même l'indique, est la coloration vocale que l'on donne à ce qu'on interprète ; selon la musique et les paroles qu'on chante, le coloris de la voix doit varier. De même que le potier ne se sert pas de la même terre pour faire une écuelle ou une amphore, le chanteur doit adapter la qualité de sa matière vocale à l'emploi qu'il veut en faire. Dans un même morceau, il est parfois nécessaire de se servir tout à tour de plusieurs voix différentes. Tantôt sombre, tantôt lumineux, tantôt monotone et tantôt changeant, le coloris de la voix doit refléter l'état d'âme que le musicien a voulu traduire.

Dans la *déclamation lyrique,* toutes les facultés acquises par l'étude de la vocalise et du phrasé trouvent leur emploi mais elles sont ici au service de l'esprit, qui s'en sert pour exprimer ses pensées, des plus fortes aux plus subtiles, et du cœur, qui en use pour extérioriser ses sentiments, des plus secrets aux plus fougueux.

La première nécessité de la déclamation, c'est une articulation parfaite ; la seconde, une prononciation correcte. Il ne faut pas confondre l'une avec l'autre.

L'articulation consiste à faire avec la bouche et la langue les mouvements nécessaires à la formation des voyelles et à l'accent des consonnes. Que l'on soit du Nord ou du Midi, que l'on parle comme un Marseillais, comme un

Toulousain, comme un Lillois, comme un Auvergnat, ou comme un Normand, c'est-à-dire quelle que soit la prononciation qu'on ait, on *articule* : c'est la *prononciation* qui diffère. En un mot, l'*articulation* sert à *prononcer,* mais l'on peut avoir une bonne *articulation* et une mauvaise *prononciation.*

Dans la prononciation, le rôle le plus important est celui des voyelles. De l'ouverture plus ou moins grande des voyelles dépend en grande partie l'intelligibilité de ce qu'on dit. Ce sont elles également qui déterminent l'accent de tel ou tel pays, de telle ou telle région. Aussi faut-il éviter dans la prononciation tout ce qui caractérise un accent particulier. Par exemple, d'ouvrir les *a* comme font les Normands en disant « lâbourer » pour labourer ou de les fermer mal à propos comme les Méridionaux : « Je ne veux pà », de même ils ferment indûment certains *e* : « Jamé » pour jamais, « j'allé » pour j'allais, etc. Pas plus qu'il ne faut prendre pour modèles les Bretons quand ils prononcent « graînier » ou « régistre » au lieu de grenier ou registre. Attention aussi aux consonnes et aux nasales ! N'allez pas dire comme les sympathiques habitants du Sud-Est « rieng » pour rien, « allong pour allons ou, comme les Auvergnats « cherviche » pour service, ou bien encore comme les vaillants Lorrains « escailler », « juliet », « aillieurs », au lieu d'escalier, juillet, et ailleurs ; ou encore, « j'ajète » pour j'achète, comme on le fait au centre de l'Armorique ! Il faut adopter, en chantant, la prononciation parisienne des voyelles et des consonnes, excepté pour l'*r* car à Paris on grasseye. Or, il ne faut jamais grasseyer en chantant.

Privé d'articulation et de prononciation, le chant, quelle que belle que soit la voix qui le fait entendre, est sans intérêt. C'est ce dont ne veulent pas se persuader beaucoup de chanteurs de théâtre. Tant pis pour eux si le public, las de prêter l'oreille dans l'espoir de comprendre ce qu'ils disent, se détourne d'eux et leur préfère les chanteurs d'opérette et de café-concert qui, eux, articulent et prononcent correctement.

C'est quand on est en possession d'une articulation, d'une prononciation parfaites que l'on peut se préoccuper de ce qui offre le véritable intérêt de la déclamation lyrique, c'est-à-dire de l'*expression* et c'est ici que l'intelligence du chanteur entre en jeu.

En effet, la déclamation lyrique doit être surtout inspirée par l'intelligence qui, seule, peut indiquer à l'interprète l'expression qu'il doit donner à ce qu'il chante, l'intention qu'il doit indiquer par sa façon de chanter une phrase, un mot. Si l'intelligence fait défaut, si l'on comprend mal ce que l'on doit faire comprendre et ressentir à ceux qui vous écoutent, la déclamation est défectueuse, l'accent manque de naturel et de vérité. Il n'éveille pas dans l'âme, dans l'esprit de l'auditeur ce qu'il doit y éveiller, et l'effet est manqué. Par conséquent, il est indispensable pour un chanteur de cultiver, d'exercer son intelligence. La lecture, la contemplation de chefs-d'œuvre plastiques (peinture ou sculpture) l'observation des humains, le souvenir de ce qu'on a éprouvé, joies ou douleurs, émotions de toutes sortes, l'imitation même des gens qu'on a vus agir, qu'on a entendus parler de telle ou telle façon, en telle ou telle circonstance, tout cela peut contribuer à donner aux chanteurs le sens de la déclamation juste et les aider dans leur interprétation d'un rôle, d'un morceau, d'une page ou simplement de quelques mesures, et ils doivent avoir perpétuellement le souci de sentir et de dire vrai, s'ils veulent servir d'intermédiaires fidèles entre l'auteur et le public.

Le chanteur qui se borne à chanter d'une belle voix les notes et les mots qui sont écrits, songeant uniquement à mettre en valeur le volume, l'éclat, et la puissance de cette voix, n'est qu'un sot. Il est en outre un serviteur infidèle puisqu'il ne remplit pas sa mission, qui consiste non point à briller pour son propre compte auprès de gens frivoles et ignorants, mais à charmer, à intéresser et à émouvoir les auditeurs attentifs, éclairés et sensibles.

Il est à souhaiter que les amateurs de radio et de phonographe, chaque jour plus nombreux, se pénètrent de ces principes, en général méconnus par ceux-là mêmes qui devraient en être les apôtres, et en premier lieu, les chanteurs, qui trop souvent, ne songent qu'à « faire du son », s'imaginant que, plus on a de voix et plus on chante fort, plus on a de talent. J'arriverai peut-être à persuader professionnels et auditeurs qui, n'étant guidés ni par la vanité ni par l'intérêt, peuvent s'accorder le plaisir de sacrifier tout simplement à la musique.

Que les uns et les autres se méfient avant tout de l'excès de sonorité qui est l'ennemi même de la Musique, puisqu'il est le Bruit, puisqu'il contre-carre le mystère exquis des colorations, des nuances, et puisqu'il ébranle les nerfs au lieu d'intéresser l'intelligence et d'émouvoir le cœur. J'ajoute que si un chanteur chante trop fort, c'est son affaire, et que si l'on s'abstient de l'écouter, il n'a que ce qu'il mérite, mais que vous n'avez pas le droit de faire chanter trop fort, *malgré lui,* un chanteur qui a eu le bon esprit de sacrifier les grossiers effets athlétiques aux justes exigences du style et de l'expression.

Un mardi, soirée chez Madeleine Lemaire par Henri Gervex (Hahn est au piano).
Musée Carnavalet, Paris.

A Tuesday soiree at Madeleine Lemaire's by Henri Gervex (Hahn is at the piano).
Musée Carnavalet, Paris.

Synopsis

ACTE I

Le climat est orageux dans la famille Aubertin. Père, mère, fille et bonne récriminent contre les autres et le petit déjeuner pris en commun nourrit moins les estomacs que le ressentiment et la dissension. Mais chacun n'a-t-il pas son jardin secret ? En recourant aux petites annonces, Prosper Aubertin, que n'enthousiasment plus guère sa vie conjugale ni son métier de chapelier, est entré en correspondance avec une prétendue comtesse ; mais il reçoit également, parmi les 130 lettres qui lui sont adressées, les déclarations enflammées de sa femme Antoinette et de sa fille Marie-Anne. Les deux femmes ont d'ailleurs beaucoup changé ces derniers temps : ne modifient-elles pas leur caractère au fur et à mesure que les lettres d'Aubertin le leur demandent ? Elles vont jusqu'à repousser les soupirants venus à la boutique et qui, sous prétexte d'achats, leur font une cour assidue. Ces derniers (Jean-Paul pour Antoinette, Claude Aviland pour Marie-Anne) ne les font pas autant rêver que les beaux inconnus de leur relation épistolaire. Pendant ce temps, un ami de la famille, Hilarion Lallumette (dont le mutisme assure la discrétion) recueille les confidences croisées de tous les personnages.

ACTE II

Prosper Aubertin décide de prendre sa revanche ; il donne rendez-vous à sa correspondante comtesse mais... évite de justesse sa bonne Félicie, qui a d'abord confondu le musée du Louvre avec le magasin du même nom. Quant aux deux femmes, Aubertin les invite à le rejoindre dans une villa de Biarritz louée pour l'occasion ; Antoinette et Marie-Anne trouveront sans difficulté de bonnes raisons de s'éloigner quelque temps ; c'est sur un entraînant « Partons... » (auquel se joignent Claude, Jean-Paul et Hilarion) que se baisse le rideau du deuxième acte.

ACTE III

C'est une confortable villa de la côte basque qui sert de décor à l'acte III. M. Victor, son propriétaire, homme d'âge mûr, pris à tort par ces dames pour le « bel inconnu », entreprend de gérer le triple dénouement qui se profile. Il commence par raisonner l'épouse frivole, qui, gagnée par le repentir, partagera finalement la même conception du couple que son mari. Toujours en se faisant passer pour son correspondant, il séduit la bonne Félicie. En revanche, il laisse le père recevoir sa fille : Prosper fait croire à Marie-Anne que Claude, qui arrive à point, est le véritable auteur de la correspondance échangée ; cela tombe d'autant mieux que la jeune fille avait imaginé l'élu de son cœur sous les traits du jeune homme qui lui rendait visite à la boutique. Et bien sûr, pour participer aux réjouissances finales, Hilarion retrouve à temps... sa voix grâce aux conseils d'un médecin écossais.

———

La distribution de la création : de gauche à droit, en haut Simone Simon et Arletty, en bas Suzanne Dantès et Aquistapace. Collection J. Gana.

The cast of the premiere. Clockwise from top left: Simone Simon, Arletty, Aquistapace, Suzanne Dantès. J. Gana Collection.

Getting to know a *Bel Inconnu*

Is it so surprising that the Palazzetto Bru Zane, whose activities are devoted to the rediscovery of French Romanticism, should occasionally chan-
nel its energies into championing the music of the interwar years? Scores
such as *Ô mon bel inconnu*, written by composers who were the heirs to
the nineteenth-century tradition, brought up on Saint-Saëns and trained
by Franck or Massenet, suffered from ostracism in the late twentieth century and were accused of lacking the modernist piquancy of Schoenberg,
Strauss or Ravel. Since they clearly did not float with the contemporary
current, these operettas were relegated to the backwaters of history at
the very same time as the popularity of French Romantic music as a whole
(with the exception of *Carmen, Faust* and *Les Contes d'Hoffmann*) was beginning to founder in its turn.

So many treasures lie dormant, ready to be successfully resurrected
at the slightest opportunity, provided they are granted the necessary
resources and treated with the same respect as a serious symphony or a
tragic *grand opéra*. *Ô mon bel inconnu* is a perfect example of these tar-
nished splendours. The text is by a master of French wit, Sacha Guitry,
while the music reveals the maturity of a composer who was already an
old hand at the comedy of manners, the fastidious Reynaldo Hahn. The
orchestration of the score alone makes investigation worthwhile: although
Hahn adds to the strings no more a flute, two clarinets, a bassoon, a
saxophone, a piano and a single percussionist, he draws from this modest ensemble luxurious sonorities from which the overture and entr'actes
derive great benefit. The skilful alternation between numbers close to
the spirit of the *café-concert* ('Qu'est-c' qu'il faut pour être heureux?' or

'J'connais l'rayon') and others whose inspiration is still rooted in Romanticism (Antoinette's song and the 'Bel Inconnu' trio in particular) constantly rekindles the listener's interest and allow Hahn to deploy the full range of his talent.

We owed it to this jewel of the Années Folles to assemble an impeccable cast for its revival. Guided by the expert baton of Samuel Jean (a longstanding specialist in this repertory), listeners will discover the Parisian *gouaille* or chic of seven Francophone singers, each with a strong personality. Some of them have long been familiar with this musical genre, while others – such as Véronique Gens – are taking almost their first steps in its special vocal style, having gladly agreed to undergo an intensive process of preparation and reconsider their usual way of singing, in order to revive as idiomatically as possible the requirements and specific features of this aesthetic.

The opportunity to record *Ô mon bel inconnu* confronted the Palazzetto Bru Zane team with the issue of the spoken dialogue, undoubtedly witty and diverting, but in this case so lengthy that it does not readily lend itself to home listening. It would have been a pity to take the scissors to this delightful mix of witticisms and puns, dashed off with a verve to which only the cut and thrust of stage performance can do full justice. So we decided to record only the musical numbers (but without any cuts, and including even the brief transitions which punctuate the characters' entrances in Act Three) and to offer the full book and lyrics (sung and spoken) as an appendix to this book, complete with English translation.

The Palazzetto Bru Zane team

First page of the full score.
Éditions Salabert.

Première page de la partition d'orchestre.
Éditions Salabert.

Sacha, Reynaldo and the *Bel Inconnu*

Christophe Mirambeau

> If I say 'Reynaldo' when I speak of him, it is because there is between
> us a point – I would wish there were more than one – a point of
> resemblance: both of us have made a first name for ourselves.
>
> (Sacha Guitry, *Le Matin*, 3 October 1933)

The tenth of January 1933: the 112th and last performance at the Théâtre
de la Madeleine of *Mozart*, by Guitry and Hahn. This *comédie en musique*,
premiered in 1925, had quite naturally enjoyed the same success – indeed,
the triumph – that had greeted it seven years earlier. Yvonne Printemps as
Mozart once again had all Paris at her feet, whereas Sacha had given up
his role as Baron Grimm to the thoroughly commendable Georges Mauloy.
Printemps without Guitry: the unmistakable sign of a relationship very
much on the rocks. The detail is not without its importance for the ven-
ture that was to keep Reynaldo Hahn and Sacha Guitry busy over the next
few months. While Yvonne had seduced Pierre Fresnay, with whom she
was almost openly conducting an affair, Sacha was already appearing in a
new comedy with the woman who was to become the third Madame
Guitry – Jacqueline Delubac. One can assume that Sacha had initially imagined – as some clues in the libretto suggest – that *Ô mon bel inconnu* would
be the new musical play he was to perform with Yvonne. Her bewitching
voice, her charm, her wit and her unfailing musicality had played no small
part in the resounding success of Sacha's revues and musical comedies.
Mademoiselle Printemps had conquered theatre audiences as thoroughly
as music lovers... and composers. But the break-up of the most famous
Parisian couple, in real life as on the stage, completely changed the situa-
tion. *Ô mon bel inconnu* was to be Sacha's first musico-dramatic work with-

out Yvonne in thirteen years, but also his final foray into the genre. Why did Guitry pursue this musical project despite the absence of his favourite co-star? His new work, which can also be viewed through the prism of his life, might lead us to think that the husband-author was here indicating to his future ex-wife and ex-interpreter that she was not as indispensable to him as all that for producing a successful operetta... Reynaldo Hahn, for his part, would be reunited with the star of his *Mozart* only in the cinema, when he wrote three songs to words by Albert Willemetz for *La Dame aux camélias*.

The Guitry/Hahn collaboration owed nothing to chance. André Messager had given up the task of composing the score of *Mozart* – deeming that he would not manage to set such a subject to music – and Sacha had turned to Hahn, who, as an intimate and loyal friend of Sarah Bernhardt (herself closely associated with Sacha and his father Lucien Guitry), seemed a logical choice. A great enthusiast for the dramatic arts and, like Messager, a true musician of the theatre, Hahn mastered all the mysteries of composition and vocal expression. The latter, in his view, did not repose on purely musical criteria, but on the relationship of voice to text and the combination of their respective expressive qualities. The composer's public pronouncements on the subject were all the rage with the cream of Parisian music lovers, and his opinions were regarded as authoritative. Philippe Blay observes in his *Reynaldo Hahn*:

> Although his disquisitions on singing were more in the style of a talk than a class, Hahn attempted to give a complete overview of the subject, expanding it from purely vocal questions to those of interpretation and aesthetics. Their programme was an eloquent one: Why and how do we sing? How can one 'speak' [1] while

---

[1]   Hahn uses the verb *dire*, to speak, difficult to render in English in this specific sense, which implies skill in conveying the meaning of the words while singing. It is considered a compliment to a singer of *mélodies* or *chansons* to say that she is a fine *diseuse*. (Translator's note)

singing? What is style? How to move one's listeners? What explains the decadence of singing? What is 'expressive' singing and 'descriptive' singing? What is taste? The common denominator of all these questions, the relationship between text and music, was particularly important to him. The quality of declamation is essential to that relationship, and he therefore unreservedly advocated the 'subordination of music to words':

> The words [...], charged with feeling and thought, confer meaning on the melody, give it a direct and precise effect on the mind and the heart. If, between the words and the melody, one were to dominate, it is indisputable that it should be the words; both common sense and artistic sense decree it thus.
>
> (Reynaldo Hahn, *Du chant*)

Starting out from this principle, Hahn grants an essential role to prosody and does not believe 'that one can "speak [*dire*] well", really well, and sing entirely badly', whereas 'singing [...] that is beautiful simply in itself [...] is not a work of art'.

Sacha greatly admired Reynaldo's learning and his feeling for vocal expression. In a 1933 letter preserved in the Hahn family archives, he wrote:

> I must tell you what an exquisite memory we have of your visit here. What charm you possess! You keep all the promises one makes to oneself while waiting for you – and there is always a surprise. This time, the surprise was 'Mes Enfants' from *M. de Charrette* [a royalist song by Paul Féval (1853)]. Who is the singer, who is the actor who could invest so much nobility and so much love and so much hope in a single word?

And he was well aware of the difficulty of setting his irregular verses and 'formless' musical numbers to music. For 'Guitry-esque' verse contains within itself its own scansion and its own music. Guitry is the musician of the word: each group of free verses, of assonant prose is conceived as a *musical phrase* – colour and rhythm – which, fundamentally, can stand on its own. The musical rhythm of the metre and the melodic colour added by the composer can, if the latter is not careful, destroy the special flavour of Sacha's verses. A few days before the dress rehearsal of *Ô mon bel inconnu* Guitry declared:

> To work with Reynaldo Hahn is to work with Reynaldo. It is an incomparable joy. Why, you see, I'm not someone who can produce couplets in the skilful manner of the 'master of lyrics', my dear friend Albert Willemetz. My verses are uneven, bizarre, free and singular: one-legged lines sit cheek by jowl with centipedes! But Reynaldo makes the best of them, thank the Lord. Reynaldo Hahn, as Messager did, as great musicians have always done, composes his music on the verse he is given.
>
> (*Excelsior*, 1 October 1933)

It should also be noted that the cast assembled at the Bouffes-Parisiens, and for which the joint authors wrote, consisted of singing actors – and not singers who could also act, which, obviously, was not without consequences on Hahn's decisions on vocal style.

Hahn explained to the readers of *Le Matin* (3 October 1933) how this new collaboration came about (though the facts were rearranged for the occasion, since the meeting he mentions could not have taken place 'three months ago'):

> When I met Sacha Guitry in a theatre corridor three months ago and he told me, in the tone of voice one uses to impart a precise piece of information, 'We're doing an operetta together for the reopening of the Bouffes', I replied: 'You must be mistaken!' For I believed I knew – I had it from an unimpeachable source – that

I was already working on three pieces and that I was not about
to embark on a fourth.

It was indeed a matter of fact that Hahn was far from being at a loose
end: in addition to having an operetta on the stocks with Alfred Savoir –
intended to replace *Le Garçon de chez Prunier* (André Barde/Joseph Szulc)
at the Théâtre des Capucines in the spring of 1933 (although in the end
the piece never saw the light of day) – he was working on *Le Marchand
de Venise* and was probably already preparing *Malvina*, two works premiered almost simultaneously in March 1935 at the Opéra and the Gaité-
Lyrique respectively. But Guitry was a very persuasive man.

The press officially announced the birth of the new work in May 1933:

> *At the Bouffes-Parisiens* – The first new work to be staged at the
> theatre next season will be a musical comedy by Sacha Guitry,
> with a score by Reynaldo Hahn, and M. Aquistapace has been
> engaged to create the leading role.
>
> (*Excelsior*, 19 May 1933)

Le Matin even specifies the date of the dress rehearsal, fixed for 29
September. This new opus by the Guitry/Hahn team was to follow the
sparkling revival of *Phi-Phi* (Willemetz/Christiné) which was currently
enjoying huge success at the Théâtre des Bouffes-Parisiens. We can date
the musical setting of the libretto to the first half of 1933. Guitry sent his
book and lyrics to Reynaldo at the end of 1932:

> Dear Reynaldo,
> Tonight I'm expecting my secretary, who is coming from Paris,
> and in forty-eight hours you will have a fair copy of the scene and
> song for Guy Ferrant and other numbers too. But how frustrat-
> ed I am not to read them to you! Much less so in my capacity as
> author than as an actor, because I can see in the piece a number
> of theatrical effects that are impossible to explain in a letter and

which can only be achieved by rhythm and timing. You are a won-
derful musician, but perhaps I'm not such a bad actor.
I affectionately clasp both your hands,
Sacha Guitry.

(Hahn family archives)

The process of collaboration was not devoid of a certain friction. Guitry
might well have been the great Sacha, but Hahn was no less punctilious
and demanding. The musician abhorred all forms of vulgarity – a vulgarity that Guitry, who had remained very much a schoolboy at heart,
sometimes liked to skirt in his revues or his music-theatre works. Reynaldo
urged Sacha to eliminate every trace of it, and finally won his case:

Well, let's remove the second verse of the girl's song about hats
[Air, no.3, 'Allons, Monsieur, laissez-moi faire'] if it seems obscene
to you. You will have told me so three times. The first time, I doubt-
ed it, the second time, I rewrote it, the third time, I delete it.

(Letter from Guitry to Hahn, [summer 1933?],
Hahn family archives)

On the other hand, you have made my life a misery by asking me
to extend the 'pinching' song for you [Duet, no.4, 'Vous m'avez
pincé le derrière!']. I will, of course, but when we've had another
meeting. I'm delighted with everything you've already written for
my piece. I look forward to the read-through, I look forward to
the dress rehearsal, I look forward to the hundredth performance...

(Letter from Guitry to Hahn, [summer 1933?],
Hahn family archives)

Guitry was well versed in the public relations tricks of his time, and since
any publicity is good publicity, he dropped a few crumbs into the beg-
ging bowl of the gossip columnists while the two artists were hard at
work:

> *A telegram from Sacha* – Sacha Guitry is currently resting in La
> Baule [...]. 'Resting' in a manner of speaking. The other day,
> Reynaldo Hahn telegraphed him this message: 'I need four lines
> to finish my operetta.' [...] And half an hour later, Sacha replied:
> 'Reynaldo Hahn, 7 rue Greffulhe, Paris.
> 'Eh bien, que pensez-vous, monsieur, de la riposte?
> Tandis que je reçois votre dépêche ici
> Vous recevez mes vers à Paris par la poste,
> Quant à mes amitiés très vives, les voici.' [2]
> Sacha Guitry
>
> > (*Excelsior*, 22 July 1933)

The premiere was prepared with great care. Albert Willemetz, director
of the Bouffes-Parisiens, insisted on the set being already built and paint-
ed for the first rehearsal. Guitry feigned worry in *Excelsior* a few days
before the curtain was due to rise: 'We are about to find out [...] if I was
right to write *Ô mon bel inconnu* and if Reynaldo Hahn was not wrong
to set it to music.' 'We have produced an operetta – no, it's not an operetta,
what is it exactly? I don't know – well, we've produced something that
has three acts and is due to be performed in two days', added Hahn, appar-
ently unsure of the name of the genre to which the new work belonged.
He thereby signified the subtlety and complexity of the categorial term
'comédie musicale' that Sacha had noted under the title of the work – a
term already employed for *L'Amour masqué* (André Messager) in 1923,
Mariette (Oscar Straus) in 1928 and Hahn's own *La Carmélite* (1902) and
Le Temps d'aimer (1926). Nowadays one would tend, on principle, to place
'musical comedy' and *gaieté* in the drawer marked 'frivolities' – whereas
it is not a question of the content but of the form of the work. For if *La*

---

2 Well, what do you think, Monsieur, of my reply? / At the same time as I
received your wire here, / You will have received my verses in Paris by
post. / As for my warm regards, I enclose them herewith.
The four lines of the telegram are perfect alexandrines. (T. N.)

Carmélite is a *comédie musicale*, it is because of its destination (the Opéra-Comique), the musical continuity which excludes all spoken dialogue without musical accompaniment and entails a division into scenes rather than into airs, ensembles, duets, trios etc., and, finally, the type of performers required – opera singers. It is similar to the 'comédie lyrique' of the seventeenth and eighteenth centuries, which enjoyed a form of resurgence in the Belle Époque with works such as *Fortunio* (Messager, 1907) and *Maroûf* (Rabaud, 1913). The *comédie musicale* of the 1920s is different in nature. *La Petite Fonctionnaire*, a successful spoken comedy from the beginning of the century, was set to music in 1921. It was André Messager who wrote the score for this... *comédie musicale* – Messager, whose long association with the musical comedies staged in London's West End inspired the designation of a type of work with rigorous artistic standards, in which the spoken part is in no way subservient to the musical element. The 'comedy' is a genuine play, into which the 'musical' part is interpolated with equally substantial numbers. Such was *L'Amour masqué* under the pen of Messager and Guitry; the latter adopted and popularised the name of the genre – so much so that it is often claimed that it originated with him – and added the detail that completes its modern definition: it is written above all for performance by singing actors. And it was this filiation that produced *Ô mon bel inconnu* – which, moreover, the term *comédie musicale* usefully distinguishes from the types of operetta widespread at the time: jazz, swing, or Viennese.

The musical rehearsals were overseen by Reynaldo himself, assisted by a youthful conductor who was to enjoy a notable career in the light repertory, Marcel Cariven. The composer thanked the young artist the day after the dress rehearsal, in a letter that the columnists hastened to make public:

> *Bouffes-Parisiens* – M. Reynaldo Hahn has addressed the following letter to M. Marcel Cariven, conductor of the Bouffes-Parisiens:
> 'My dear friend,
> 'I would like to thank you once again for the invaluable assistance

you have given me during the delicate and sometimes awkward rehearsals of Ô *mon bel inconnu*.

'It is a joy to have by one's side, at such moments, an artist of your quality, an educated, refined musician, who understands every note without its significance needing to be spelt out for him, and who, moreover, devotes himself to his task with tireless dedication.

'Allow me to express my profound gratitude to you and to ask you to convey my affectionate regards to our dear and admirable little orchestra.

'Reynaldo Hahn'

(*Excelsior*, 9 October 1933)

During the dress rehearsal – held as a matinee performance, since Guitry, appearing at the Théâtre des Variétés in the evening, would otherwise not have been able to attend – Hahn came down from the balcony and took the baton. He conducted Act Two. At the curtain calls, the ovation for the authors was immense. This augured well for the future of the piece, because, as *L'Œil de Paris* (dated 14 October) pointed out, 'this start to the season is really not a brilliant one. Most of the theatres are more than half empty. Only the music halls are sold out every night. Operettas are also attracting customers: *Le Pays du sourire* is still running and Ô *mon bel inconnu* promises to be a success'.

The critics heaped laurels on the work. Henri Malherbe wrote a rave review in the columns of *Le Temps* (11 October), expressing the general opinion:

The score of Ô *mon bel inconnu* displays a freedom of conception not to be found in M. Reynaldo Hahn's earlier compositions. This freedom from dogma is evident right from the overture of this musical comedy. [...] Such is this score, polished with unparalleled elegance, and masterfully orchestrated. One might think one was listening to a very advanced improvisation, great music handled in playful fashion. No matter how independent or simple

he wishes to appear, M. Hahn never abandons his elevated diction, or rather his elevated melody. Beneath his nonchalant exter-
ior, he cultivates his musical language with the utmost purity. [...]
The new work of the composer of *Nausicaa* is of a higher order,
showing complete accomplishment; thanks to it, the public will
at last accord him the eminent status he deserves, and which we
have long designated for him.

Sacha Guitry's mercurial wit received extravagant praise. The press was
amused by his inimitable jests and flights of fancy, which he renewed
indefatigably: commonplace situations giving rise to hilarious musical
numbers – here, the Aubertin family breakfast, just as, two seasons earlier at the Théâtre de la Madeleine (*La S.A.D.M.P*, Guitry/Beydts), the
entrance number for Henri Morin had spent three minutes riffing on
the subject of the steps and the staircase he is climbing; the giddy finale
of Act Two with its sparkling puns; the hilarious 'alphabet' duet, a direct
descendant of the advertising slogan 'L.S.K.C.S.KI' that Guitry had
thought up for the dried milk and cocoa manufacturer Elesca in 1911;[3]
and many other pages where the author's whimsical verve flourishes in
dazzling pirouettes of humour. The whole cast found favour – except for
Simone Simon, whose reedy voice was judged much too thin. Aquistapace,
a bass-baritone 'de l'Opéra' turned actor, charmed the audience once
again; Guy Ferrant seduced it with his natural acting and elegant tenor;
Abel Tarride, much loved by the Parisian public, had the spectators in
the palm of his hand a few seconds after making his entrance. René Koval,

---

3 The initials, when pronounced in French, sound like 'Elesca, c'est exquis'
(Elesca is exquisite). This is perhaps the moment for the present translator
to confess the impossibility of rendering most if not all of Guitry's puns
in English: in the alphabet duet, the literal meaning of the words spelt out
by French pronunciation of the letters is indicated in square brackets (only
the punch-line has a direct English equivalent!); in the Act Two finale, the
double meanings of the French place-names are lost in English. (T. N.)

a schoolfellow of Sacha – who was not very fond of him, and so gave him a mute role almost until the end of the work – amazed everyone with the success he managed to make of a part without dialogue, and Suzanne Dantès was an irresistible Antoinette. Arletty played a fizzing, delightfully droll Félicie. Émile Vuillermoz reported in *Excelsior* (7 October):

> A glittering cast defends this delightful work. The role of the hatter with an insight into female psychology is taken with rare mastery by Aquistapace. In reality, it was a part intended for Sacha Guitry, who would have played it incomparably; but perhaps Aquistapace sings it better. Tarride only had to walk onto the stage to conquer the entire audience, hold it in the palm of his hand and do whatever he liked with it. What an admirable actor! Koval has achieved such a degree of virtuosity in his facial expressions that Sacha has amused himself by getting him to milk the applause in a silent role. Guy Ferrant, a high-class singer and an elegant actor, brought a great deal of style to a rather difficult part. Pierre Vyot was quite charming in no less tricky a role, and Numès *fils* triumphed in the bit part of a shop assistant, filled out with admirable strength and truculence. The female cast is dominated by the prodigious comic force of Arletty, who, with clenched teeth, radiant countenance and eyes sparkling with mischief, gives all her lines and songs an inimitable savour. Her success was overwhelming, and perfectly merited. Mlle Suzanne Dantès lends a gracious presence to the misunderstood wife preparing to abandon herself to the 'handsome stranger' who is to console her. And Mlle Simone Simon, whose amusing little spoilt-child pout is familiar to cinemagoers, played a single card, her youthful freshness, and won the game.

But 'Poucette', a Parisian spectator and reader of *La Femme de France*, was not of the same opinion, and aired her views on the readers' letters page (6 May 1934):

> I have just seen *Ô mon bel inconnu* at the Bouffes-Parisiens; I would
> never have believed that Guitry, who chooses his performers
> with such subtlety, could offer us an artist of such paltry stature
> as Simone Simon. She is ugly, mannered and sings very badly.
> Around me, during the performance, I heard many critical remarks
> about her, and I wonder how, with the fine artists we have who
> are waiting in vain for an engagement, we can be presented with
> such mediocrity. As for the fellow who plays the fiancé [Guy
> Ferrant], I wanted to throw him, along with a few rotten toma-
> toes, a complete wardrobe.

The show ran at the Bouffes-Parisiens for ninety-two performances. It
was an unqualified success. Radio-Paris broadcast it live from the Bouffes-
Parisiens at 8.45 p.m. on 9 November 1933, the same day on which Claude
Autant-Lara's film *Ciboulette*, based on the operetta by Reynaldo Hahn,
was released. The Pathé company recorded the musical numbers of *Ô
mon bel inconnu* between 30 November and 18 December 1933. Those 78s
offer a fine memento of the work, which was never seen again in Paris.
The Théâtre des Bouffes-Parisiens distributed little publicity leaflets
adorned with excerpts from reviews of *Ô mon bel inconnu*. Including this
one, published in *Le Journal*:

> Sacha Guitry and Reynaldo Hahn have in common a lightness of
> touch, a veil of irony thrown over a quivering tenderness, which,
> when bundled together in a single bouquet, make their new work
> one of the most delightful shows one could see. It satisfies mind,
> heart and ear alike.

The same still holds true nearly ninety years later.

———

Reynaldo Hahn at his desk.
Musica, March 1911.

Reynaldo Hahn à son bureau.
Musica, mars 1911.

The evening of the premiere

Paul Le Flem et al.

(*Comœdia*, 7 October 1933)

Who said the theatre was dead in France? This week alone, we have seen several plays of quality performed (what a joy is this return to quality!), in the most varied styles, from tragedy to revue. And after the success of the bitter, moving or harrowing works of MM. Jacques Deval, Alfred Savoir and Paul Demasy, here is a musical comedy by M. Sacha Guitry that is all smiles, grace and fantasy. Sacha Guitry is not the man to change his manner. For him, the theatre remains a place of enchantment, an entertainment, and with *Ô mon bel inconnu*, he and M. Reynaldo Hahn have given us a light, exquisite work, which gained, yesterday, the most splendid success. M. Guitry possesses the most precious quality of them all, which I will call poetic optimism. It enables him to enchant the most prosaic subjects, and to embellish, for our greater entertainment, the dullest realities. For him, a playwright must be, a magician.

Just look at what he has managed to do, as if it were the easiest thing in the world, with the subject of *Ô mon bel inconnu*. What would you imagine lies beneath this romantic title? Anything but a hat shop. And yet Prosper Aubertin, a respectable tradesman, sells hats, assisted by his wife Antoinette, his daughter Marie-Anne and his maid Félicie. Life is not very much fun among all those hats. So the Aubertin family spends its time arguing and getting bored. Boredom is often the beginning of a dream, and the brave hatter begins to dream of adventures. What does he do? It is very simple. He places an ad in a newspaper – 'Single gentleman seeks soul mate' – and he receives one hundred and fifty replies. He chooses one signed by a countess, and arranges a rendezvous with her. But two other replies, one in his wife's handwriting and the other in his daughter's, prompt him to roar with surprise and indignation. Then he thinks it over and is touched. So they are not happy with their fate, either, since they are looking for something else. He therefore answers them – disguising his handwriting – and after an exchange of tender and romantic letters, he also arranges a rendezvous with each of them, as much to confound and play a good joke on them as to demonstrate to them, at little cost, their need to dream. Each of the ladies, including Félicie – for she is the 'countess' – hums and sighs of her 'handsome stranger' on the way to meet him. The rendezvous is not far away: in a villa in the Basque country, which Aubertin has rented for a week. And his three women, who have regained their charm thanks to the hope that the stranger has instilled in them, will meet there. M. Sacha Guitry-Aubertin pulls all the strings of the innocently flirtatious plot with amused dexterity. The owner of the villa, M. Victor-Abel Tarride, leads Antoinette, who is already troubled and resolved to take the plunge, back onto the path of duty, and seduces Félicie himself. That just leaves Marie-Anne, the delectable young girl. Well, it's simple enough to sort everything out for her. She is led to believe that the letters that set her dreaming were written by a charming young man who had noticed her in her father's shop, and the young fellow, advised by Sacha Guitry, whom no one can resist, even makes the trip to Biarritz in order to come to the villa and ask Marie-Anne's father for her hand.

Étienne Rey

THE MUSIC

An exquisite musical atmosphere envelops Sacha Guitry's comedy. Its score is by a master who knows how to combine emotion with the most delicate artistry. The music gushes vigorously forth and charms the listener with its grace, the fluency with which it follows the volatile action, and a fantasy which doubles that of the characters.

Moreover, this music possesses a distinction quite devoid of arrogance. It retains an Atticism that may be recognised in the finesse of the melodic lines, the piquant vivacity of the harmony and the amused effervescence of the timbres. Right from the prelude, the listener feels that he is guided by a musician untouched by crudeness. Reynaldo Hahn reminds us of the old tradition of French taste, from which we have been distracted by the depravity of recent years.

Emotion does not renounce its rights any more in the music than it does in the play. The emotion is intense at the end of the first act, when Aubertin sings 'Je suis celle que vous cherchez', a number that is almost poignant in its sincerity. A subdued tenderness pervades the duet [*sic*: trio] 'Ô mon bel inconnu', and the duet in which husband and wife discover a freshness of heart that they thought they had replaced, as they got older, by a penchant for amorous adventure.

In the light, sentimental tone, there is a duet, then an air in which, indulging her feelings, the wife, already touched by the years, but still prepared to run the risk of being loved, muses gently on her burgeoning infidelity. In the same vein is the delightful duet where the two young people exchange charming banter before their impending wedding, the conclusion of an adventure pursued by two hearts which passionately sought each other before meeting. But, in this good-humoured piece, there is also cheerful and lively music, far removed from coarse farce. You will recall, at the beginning, the housemaid's song with its cheeky use of words, the brilliant, fizzing trio of the family quarrel, the jovial paraphrases Aubertin is forced to use when he has difficulty making himself understood on the telephone, the amusing number for the owner of the villa, the alluring and mischievous duet between the provocative maid and her lover who, despite the years, is still confident his blood runs warm. Nor do I forget the witty finale, handled with irresistible verve.

The orchestral preludes, ravishing masterpieces, attest to the composer's penchant for the symphonic. The orchestration is lively and skittish.

Never heavy. Each timbre is deployed with charm, with a tact that reveals the musician and the artist of refined taste. One wants to let oneself be enfolded in the incisive subtlety of this instrumentation; one loves this landscape in sound, so skilfully delineated with a typically French touch. The restful limpidity of the tones goes hand in hand with the transparency of keen textures, respectful of the voices, adding vivacity and lustre to the style.

These merits were fully brought out by the excellent orchestra of the theatre, under the precise, expressive and lively direction of M. Marcel Cariven. In the second act, Reynaldo Hahn himself conducted, and was acclaimed by a captivated, charmed audience.

Paul Le Flem

THE PERFORMANCE

This musical comedy, in which M. Reynaldo Hahn alternates between what may be called pure music and sung fantasy, needed to be performed by a troupe with flexible vocal skills, while the author's text called above all for actors.

It was therefore necessary to compose a mixed company and to make felicitous compromises. M. Aquistapace, who had proved to be an excellent actor in his previous creations, but had had to retain all his qualities as a singer in them, was at precisely the right moment in his career to be the ideal interpreter of the affable Aubertin. He plays him with an alert temperament and great finesse and sensitivity, a sensitivity expressed more especially in the sung passages. He has adjusted remarkably well to the music of the score, and to the way one must sing the end of the first act in subdued tones, making light of the difficulties of the theme – which he modulates in a manner, I would say, half-spoken, half-sung – and, at the same time, of the words, which carry all the weight appropriate to an act finale. We meet him chiefly as an actor in the second act, where he does not hesitate to underline the hint of vaudeville in certain aspects of the work. He is perfect at expressing moderation and paternal emotion in the third act. His vocal range remains wide, and he does not force his voice except at deliberately parodic moments; his diction is clear, discreetly dominating the orchestra. He achieved great and well-deserved success in his twofold role as singer and actor. It was obviously more to the actor than to the singer that the management addressed itself when asking M. Abel Tarride to play the role of the owner of the villa in the third act. M. Tarride, who once sang music by Claude Terrasse, courageously called upon such operatic memories as his vocal cords may have preserved, and is excellent in his light duets. His smiling bonhomie and his authority enable him to draw a very pleasing portrait of Monsieur Victor. M. Guy Ferrant possesses elegance, an attractive timbre and a sense of spoken and sung comedy well suited to his role as a stubborn lover. M. P. Vyot is warm and likeable; he has the diction required particularly for the sung parts of his role. M. Numès *fils* is extremely funny in the bit part of a resigned shop assistant given to surly repartee. Of M. Koval's voice, there is nothing to be said, since he plays the role of a mute. It is only at the end of the piece that he has two or three verses to sing, from which he emerges as one might expect; in any case, they do not present the slightest musical difficulty. His mute character is expressed in gestures and grimaces. If he is not terribly comical, let us acknowledge that this is not the artist's fault.

The revelation of this matinee was the voice of Mme Suzanne Dantès. Her performances in the many leading parts she has created have already established her as one of our most agreeable actresses. Now she has proved herself to be a singer too, with a pretty light-soprano timbre and a vocal ease that earned her much applause. She sings the air [*sic*: trio] 'Ô mon bel inconnu' delightfully and gives full value to the other sung parts of her role. Mlle Simone Simon's voice is restricted in volume, but of undeniable quality, and she uses it with great grace. What she does is intelligent, while remaining very young, very fresh, very much in character.

Her acting is no less amiable. Mlle Arletty uses her distinctive comic style and amusing voice to characterise Félicie, the maid with an inviting temperament and lively, cheeky banter. Nevertheless, she is equally at ease in the ensembles and pleasantly details the numbers she has to sing, alone or in company. These three singing actresses do not betray the composer in any way.

The sets are very innovative, attractively modern in their structure, with entrances and exits contrived by way of the staircases, most gratifying in effect. The decoration of the hat shop seen in one passage is rigorously accurate. That of the villa in Biarritz is luminous in its bright hues and no less precise, a setting appropriate to the highly ingenious action.

Armory

[The hats for the operetta Ô *mon bel inconnu*, at the Bouffes-Parisiens, were supplied by the House of Léon. Léon also installed the hatter's shop.]

THE ELEGANCIES OF THE PLAY

In the first act of Ô *mon bel inconnu*, Suzanne Dantès and Simone Simon do not wear theatrical robes but delightful garments, elegant without ostentation, which help to create a perfect atmosphere. Mlle Dantès's robe is made of white crepe de chine with satiny green tartan stripes. Simone Simon's is in shantung printed with multicoloured polka dots. Both are fresh, cheerful, chic and designed by Poirier.

Clorinde

Simone Simon
et Guy Ferrant
dans
"O mon bel inconn

Above: The breakfast scene in Act One of *Ô mon bel inconnu*.
Below: Simone Simon and Guy Ferrant in Act Three.
J. Gana Collection.

En haut : La scène du petit-déjeuner à l'acte I d'*Ô mon bel inconnu*.
En bas : Simone Simon et Guy Ferrant à l'acte III.
Collection J. Gana.

Operetta: mother or sister
of musical comedy?

Alexandre Dratwicki

The history of French 'light operatic genres' (*genres lyriques légers*) is a curious one. Denigrated by posterity from the 1960s onwards, it has also been the battleground for a pointless and unfounded internecine conflict: the artificial opposition between operetta and musical comedy. The former supposedly represents the decadence of Romanticism, the latter the verve and wit of modernity: a clash between the 'passé' and the 'trendy', as it were. How has this come about?

Initial observation reveals a mistaken terminological distinction: what the pseudo-scholar terms the 'opérette' of the nineteenth century was almost always called 'opéra-bouffe' (by Offenbach, for example) or 'opéra-comique' (by Lecocq especially). The same imprecision recurs in the 1920s, since what writers on the subject call a 'comédie musicale' is often nothing more than an 'opérette' (sometimes 'légère') according to the title pages of the scores themselves. Messager's *Coups de roulis* (1928)? An *opérette*. The same composer's *L'Amour masqué* (1923)? Also an *opérette*. Reynaldo Hahn's *Brummel* (1931)? Still an *opérette*; Maurice Yvain's *Ta Bouche* (1923)? Definitely an *opérette*... So, you may object, does this uncertain terminology actually matter? Well, it does show that the objects being compared were more closely linked in the minds of the creators themselves than might at first appear: the composers of the 1920s consciously placed their works within a tradition thanks to generic specificities of which they were perfectly aware. The separation into two genres, which is alleged to have appeared from nowhere in 1914, is therefore a historical construct devoid of any scientific foundation. It was only after the Liberation, in the 1950s, that the term *comédie musicale* became firmly established, partly because – the fact is worth noting – certain scores were renamed on their reissue, thus making it possible to refer *a posteriori* to the repertory of the Années Folles under this more contemporary term in order to make it as modern as possible in the public mind, doubtless under pressure from producers and publishers starved of commercial success. The confusion thus created was destined to be long-lived, since it still persists today.

The abundance of works bearing one designation or the other is the obvious sign of the success of this repertory. The constant appearance of new titles, published at a sometimes frenetic pace, comes as a reminder that, between 1860 and 1900, France was the most prolific purveyor of light operatic music. What about the period after 1914? Here again, contrary to a widespread but totally false notion, it was not Broadway but Paris that remained the leading centre for operetta production during the Années Folles: between 1920 and 1930, nearly 400 different pieces were performed in the French capital, more than in either London or New York.

Another point in common between the works of the nineteenth and twentieth centuries is the places where they were created. The nature of the *théâtres secondaires* (that is, private and not state-run) occupied by Hervé or Offenbach (Bouffes-Parisiens, Variétés, Déjazet, Folies-Concertantes, etc.) was exactly the same as that of the venues where Christiné, Yvain and Reynaldo Hahn were staged (Théâtre Michel, Capucines, La Michodière, Marigny, Bobino, Apollo, Gaîté Lyrique, Édouard VII, Théâtre Daunou, etc.). Although their seating capacity varied greatly, the status of these venues in the capital's theatrical pecking order, and their mode of operation and financing, were more or less identical. There was also – and above all – a similar popular audience that frequented these spaces, and whose expectations in terms of entertainment, music and humour did not vary from one evening to the next.

Yet another common misconception is the idea that the repertory of the Années Folles swept away the works of the 1870s style at a single stroke. Once again, this is not the case: the older repertory continued to hold its own and have its champions. Hence titles ancient and modern crossed paths on the same stages. Moreover, some authors, such as Willemetz, refurbished the works of Offenbach and Lecocq by updating their librettos. In 1934 the Théâtre Marigny programmed *La Créole* (with no less than Josephine Baker in the title role), then the Apollo presented Lecocq's *Les Cent Vierges* in 1942. Then came the turn of a new *Grande-Duchesse de Gérolstein* revised by Willemetz and a *Surcouf* (Planquette) reworked by the same, both in 1947. Examples of this type were legion, even more so in the provinces where municipal theatres thereby maximised the investment on their elderly stagings of old-fashioned *opéras-bouffes*, mounted at considerable expense before the First World War.

Opérette and *comédie musicale* are also, of course (and perhaps most importantly), linked by an absolutely identical musical structure. Both alternate sung numbers and spoken dialogue, both end happily, and both are distinguished from *opéra-comique* by the use of so-called 'light' rather than 'art' music. The vocal writing also calls for the same voice types: only exceptionally do we find coloratura or dramatic sopranos, none of the tenor parts goes very high, the 'barytons Martin' (whose parts are notated in the treble clef) use mixed voice at the top of their range in moments of tenderness, and – of course – colourful characters are legion. The stock types of the Années Folles (the flighty woman, the tyrannical father, the mischievous maid, etc.) do not in any way renew the gallery of roles present in works written around 1860.

It has been averred that the artistic difference between the two repertories consists in the fact that the *comédie musicale* incorporates then-new popular music, notably imported from the United States, and more especially jazz. Does this mean that Offenbach's operettas turned a deaf ear to the modernities of their own era? Quite the contrary: the composers of the 1870s convoked the galop, the *chahut* and the cancan; those of the 1890s called for the new tango or the cakewalk (for example in Messager's *Miss Dollar*). This modernity of discourse also involved the introduction of unusual harmonies: the *Couplets du flirt* – the very word seemingly highly redolent of 1930 – in Toulmouche's *La Saint-Valentin* possesses a lasciviousness and a rhythmic pattern that composers of the inter-war period would not have disowned, yet it dates from... 1895. A blind test of works from the 1890s would probably generate other amusing confusions of this type, revealing an aesthetic permanence that 'Musical History' seeks to erase.

The musical proximity between *opérette* and *comédie musicale* also lies partly in the similarity of their instrumentarium. Conceived for theatres whose pits did not have room for a full orchestra (any more than the operating budgets for this kind of show could afford one), their scoring makes do with single instruments in certain cases: in Offenbach, just one oboe, one bassoon, one trombone most of the time. In Hervé (as in Hahn), a single percussionist has the task of playing the timpani, the triangle, the bass drum and the side drum. And in both *opérette* and *comédie musicale*, revivals intended for more ambitious venues provided an opportunity to fill out the orchestration: Lecocq added an oboe, a bassoon, two horns and two trombones to *La Fille de Madame Angot* (Hervé did the same for a new run of *L'Œil crevé*, as did Offenbach for all the performances of his scores in Vienna) just as Yvain expanded his *Yes!* for increasingly plethoric forces in the 1930s.

Commentators have claimed to find a contrast between the two genres in the nature of their subject matter. As Jacques Gana has put it:

> Henceforth [in the repertory of the Années Folles] the action takes place in the contemporary world and the subjects borrow from *chansonniers* and fashion: satires of modern morals ('liberated'

young girls with short skirts and boyish hairstyles), modern art
(the art lovers of *Gosse de riche*), venality and crooked politicians
(the pasta manufacturer in *Yes!*, the Breton member of parliament
in *Kadubec*, the puppet cabinet in *Encore cinquante centimes...*),
frequent allusions to contemporary history (a Rudolph Valentino
look-alike and White Russians fleeing the Bolsheviks in *Bouche
à bouche*, Communist servants in *Yes!*).

But... isn't all this already to be found in the *opérette*? Does not Hervé's
Mam'zelle Nitouche frequent the Montmartre of her time? Are not the
American bourgeoisie of *Miss Dollar* eminently of their period? Does not
the deputy mayor of Serpette's *Le Petit Chaperon rouge* brandish the laws
in vigour in 1885? In the same composer's *opéra-bouffe Adam et Ève*, are
the eponymous protagonists (and this is the amusing part of the story)
not precipitated directly from the Garden of Eden to the Paris of the date
of the premiere (1886), which is to be their Hell? And when it comes to
picking up all the references to the current events of 1866 in *La Vie parisienne*, it would be better to abandon the task at once, there are so many of
them... Conversely, it is just as simplistic to think that the old-established
subjects – with classical antiquity first among them – were systematically
ousted after the second decade of the twentieth century: for example,
Christiné's *Phi-Phi*, a key model for the repertory of the 1920s (and, inci-
dentally, subtitled 'opérette légère'), relates the amorous affairs of the Greek
sculptor Phidias in... 1918. And the poster for the premiere made no
attempt to underplay its neo-antique inspiration.

The special genre of the *féerie* lends its share of confusion to this
seething mixture. It has a close relationship with both *opérette* and *comédie
musicale*, which proves yet again how close they are (whereas opera is less
commonly interested in fairy-tale subjects, if we are to go by the few examples to be found in composers' catalogues). The *féerie* appeared in the
middle of the nineteenth century and initially developed in parallel with
operetta, with which it gradually merged: Offenbach's *Le Voyage dans la
lune* and *Le Roi Carotte*, along with Lecocq's *Ali-Baba*, marked the apothe-

osis of this meeting of genres in the 1870s and 1890s. At the same time, titles such as Messager's *Miss Dollar* included highly developed dance tableaux, inherited from the tradition of spectacular ballet cultivated in London, but also at the Folies Bergère. Without being built on a plot genuinely devoted to *féerie* or 'grand spectacle', these pieces deployed a profusion of resources in order to reach a splendid conclusion. Now, it is also possible to perceive a little-studied resurgence of the *féerie* in the 1930s: this was the 'opérette à grand spectacle' (here, once again, frequently confused with the *comédie musicale*) whose temple was the Théâtre du Châtelet. During the thirty-five years of Maurice Lehmann's management of the theatre, horseback chases, naval battles in the midst of a raging sea or spectacular volcanic eruptions formed the climaxes of shows specially tailored for its uniquely spacious and well-equipped stage. After the Liberation, the *grand spectacle* genre survived chiefly at the Théâtre Mogador, in the works of Francis Lopez, who showcased the immense popularity of the young tenor Luis Mariano.

Finally, one cannot disentangle the history of *opérette* and *comédie musicale* from that – exactly contemporary – of the *chanson de café-concert*. For all the great librettists also wrote numbers in the last-named genre ('Félicie aussi' by Willemetz, for example). The style and aesthetic of this repertory evolved with remarkable flexibility from the 1860s to the 1950s: just as certain titles for the Moulin Rouge anticipated the art of Maurice Chevalier and Mistinguett, so several hits of the 1940s still looked back to the vocal style and aesthetics of the chansons of Paulus and Thérésa.

Finally, the rise of the cinema was also an important vector for the diffusion of light music. Many of Willemetz's *comédies musicales*, for example, were adapted for the screen. But the Seventh Art drew just as frequently on the repertory of *opérette* (including several versions of Hervé's *Mam'zelle Nitouche*), thus proving that the spirit of the two genres formed a single entity in the eyes and ears of twentieth-century audiences.

It is therefore not surprising to note that both repertories lost their popularity at the same time, falling victim to the same criticisms, but are now being reborn and arousing the same enthusiasm.

Advertisement for the Paris hat shop À l'Hérissé.
Musée Carnavalet, Paris.

Publicité pour la chapellerie À l'Hérissé de Paris.
Musée Carnavalet, Paris.

On singing in general

Reynaldo Hahn

(from *L'Initiation à la musique*, Paris:
Éditions du Tambourinaire, 1935, p.109)

Vocalise, phrasing and *lyric declamation* are, I think I may say, the three foundations of singing.

Vocalise is – or should be – the basis of all vocal practice. Each time we execute, even in a very slow tempo, a sequence of notes emitted on a single vowel, we are performing a vocalise; but this term is more generally taken to mean a sequence of *fast* notes involving various difficulties, *messa di voce* [*sons filés*], ornaments of all kinds, arpeggios, ascending and descending diatonic and chromatic scales sung legato or staccato, etc.

If truth be told, it is not indispensable for all singers to achieve mastery in this branch of singing, where it is essentially light voices that shine and which is only applicable in certain kinds of music and in certain vocal types [*emplois*]. But it cannot be denied that vocalise is a first-rate exercise for the very singers whose voices, talents and roles do not require agility, because it cannot fail to give their vocal organs a flexibility and mobility extremely useful to anyone who wishes to phrase tastefully, in an expressive and nuanced manner. Moreover, there is music that cannot be tackled if one is unable to vocalise well: to mention but a few examples, the oratorios of Bach and Handel, certain Mozart operas, the operas of the Italian Romantic School, Rossini, Bellini, etc.

Phrasing consists in executing a musical phrase, a melody (that is, a series of notes, whether or not they are accompanied by words), in a homogeneous, clear and impeccably accurate manner, by clearly bringing out its contours and nuances, respecting its punctuation (that is, its pauses, of differing length), while giving it the tone [*accent*] and the accentuation [*accents*] imposed by the sentiment of the music and, if has words, by the meaning of those words.

The study of this branch of singing includes the study of *breathing considered from the expressive point of view*, of style and of musical colour. The *style* of a piece is dictated by taste and consists in a series of details that gives the music being sung the character and bearing prescribed by the period, the country in which it was composed and the composer's own personality. *Colour*, as the word itself indicates, is the vocal colouring that is given to what is being interpreted; depending on the music and words that are sung, the colour of the voice must vary. Just as the potter does not use the same clay to make a bowl or an amphora, so singers must adapt the quality of their vocal material to the use they wish to make of it. In the same piece, it is sometimes necessary to use several different voices in turn. Sometimes dark, sometimes bright, sometimes monotonous and sometimes changing, the colour of the voice must reflect the emotional state that the composer intended to convey.

In *lyric declamation*, all the faculties acquired through the study of vocalise and phrasing are used, but here they are at the service of the intellect, which uses them to express its thoughts, from the most powerful to the most subtle, and of the heart, which uses them to express its sentiments, from the most intimate to the most impetuous.

The first necessity of declamation is perfect articulation; the second is correct pronunciation. We must not confuse one with the other.

Articulation consists in making the necessary movements with the mouth and tongue for the formation of vowels and the accentuation of consonants. Whether one comes from the North or the South of France, whether one speaks like a native of Marseille, of Toulouse, of Lille, of Auvergne or of Normandy, that is to say, whatever pronunciation one has, one *articulates*: it is the *pronunciation* that differs. In short, *articulation* is used to *pronounce*, but one may have good *articulation* and poor *pronunciation*.

In pronunciation, the most important role is that of the vowels. The intelligibility of what we say depends to a large extent on the greater or lesser degree to which we open our vowels. It is also the vowels that determine the accent of a particular country or region. One must therefore avoid anything in one's pronunciation that is characteristic of a specific accent. For example, one should not open the 'a' as Normans do when they say 'lâbourer' instead of *labourer*, or close it inappropriately as Southerners do ('Je ne veux pà'), just as they unduly close certain 'e's: 'jamé' for *jamais*, 'j'allé' for *j'allais*, etc. Nor should we take the Bretons as models when they pronounce 'graînier' and 'régistre' instead of *grenier* and *registre*. Beware also of consonants and nasals! Do not, like the friendly inhabitants of the South-East, say 'rieing' for *rien*, 'allong' for *allons*, or, like the Auvergnese, 'cherviche' for *service*; or, like the valiant Lorrainers, 'escailler', 'juliet', 'aillieurs' instead of *escalier, juillet* and *ailleurs*; or even 'j'ajète' for *j'achète*, as people do in the centre of Brittany! When singing, one must adopt the Parisian pronunciation of vowels and consonants, except for the 'r', because in Paris it is pronounced gutturally [*grasseyé*]. One must never use the guttural 'r' in singing.[1]

If deprived of articulation and pronunciation, singing, no matter how beautiful the voice, is of no interest. Yet many opera singers do not wish to be persuaded of this. They have only themselves to blame if the audience, weary of lending an ear in the hope of understanding what they are saying, turns aside from them and prefers operetta and *café-concert* singers who articulate and pronounce correctly.

It is only when one possesses perfect articulation and pronunciation that one can concern oneself with that element which gives lyric declamation its true interest, that is to say, *expression*; and this is where the singer's intelligence comes into play.

---

[1] That is, the 'r' should be rolled, as in Italian. (Translator's note)

For lyric declamation must be inspired above all by intelligence, which alone can indicate to performers the expression they must confer on what they sing, the intention they must indicate through the way they sing a phrase or a word. If intelligence is lacking, if one fails to comprehend that which one must make listeners understand and feel, the declamation is defective, the accentuation lacks naturalness and truth. It does not awaken what it ought to in the soul and mind of the listener, and the effect is missed. Therefore, it is essential for singers to cultivate and exercise their intelligence. Reading, the contemplation of masterpieces of the visual arts (painting or sculpture), the observation of other human beings, the recollection of what we have experienced, joys or pains, emotions of all kinds, even imitation of people we have seen behaving or heard talking in such and such a way, in such and such a circumstance: all of this can help to give singers a feel for correct declamation and aid them in their interpretation of a role, a piece, a page or simply a few bars of music, and they must constantly take care to feel and tell the truth if they wish to serve as faithful intermediaries between the composer and the audience.

Singers who confine themselves to singing the written notes and words with a beautiful voice, thinking only of showing off the volume, brilliance and power of that voice, are but fools. They are, moreover, unfaithful servants, since they do not fulfil their mission, which is not to shine on their own behalf with frivolous and ignorant people, but to captivate, interest and move attentive, enlightened and sensitive listeners.

It is to be hoped that devotees of the radio and the phonograph, more numerous every day, will thoroughly absorb these principles, generally unknown to the very people who should be their apostles, and first and foremost to singers, who too often only think of 'producing volume', imagining that the bigger the voice they have and the louder they sing, the more talent they possess. Perhaps I will succeed in convincing professionals and listeners who, being guided neither by vanity nor by self-interest, can allow themselves the pleasure of simply yielding to music.

Let both such categories beware above all the excess of sound which is the very enemy of Music, since it is Noise; it is contrary to the exquisite mystery of colourings and nuances; and it jangles the nerves instead of engaging the intelligence and moving the heart. I would add that if singers sing too loudly, it is their business, and if we refrain from listening to them, they get no more than they deserve; but that one has no right to force to sing too loudly, *against their will*, those singers who have had the intelligence to sacrifice coarse athletic effects to the justified demands of style and expression.

Arletty and Aquistapace by Payen.
J. Gana Archives.

Arletty et Aquistapace par Payen.
Archives J. Gana

Synopsis

ACT ONE

The atmosphere is stormy in the Aubertin household. Each of its members (father, mother, daughter, maid) remonstrates with the others, and the breakfast they are eating together is less nourishing for their stomachs than for their resentments and dissensions. But doesn't everyone have their own little secret? Through the medium of the personal ads in a newspaper, Prosper Aubertin, no longer enchanted by either his married life or his profession as a hatter, has entered into correspondence with a woman who claims to be a countess; but he has also received, among the 130 other letters replying to his advertisement, impassioned declarations of love in the handwriting of his wife Antoinette and his daughter Marie-Anne. Moreover, the two women have changed considerably in the past few days: do they not modify their character as Aubertin's successive letters ask them to? They even go so far as to repel the suitors who come to the shop and who, on the pretext of purchasing its wares, woo them assiduously. These gentlemen (Jean-Paul in pursuit of Antoinette, Claude Aviland of Marie-Anne) cannot sweep them off their feet like the handsome strangers of their epistolary relationships. Meanwhile, a family friend named Hilarion Lallumette (a mute whose inability to speak guarantees his discretion) acts as confidant to all the characters.

ACT TWO

Prosper Aubertin decides to take his revenge; he makes a date with his countess and narrowly avoids his maid Félicie, who has initially confused the Louvre Museum with the department store of the same name (Les

Grands Magasins du Louvre). Then he invites Antoinette and Marie-Anne to join him in a villa in Biarritz he has rented for the occasion; the two women easily find good reasons to leave the family home for a while, and it is with a rousing refrain of 'Let's go' (in which Claude, Jean-Paul and Lallumette also join) that the curtain falls on the second act.

ACT THREE

A comfortable villa on the Basque coast serves as the setting for Act Three. Its owner, M. Victor, a middle-aged man whom all three ladies will mistake for the 'handsome stranger', makes it his business to deal with the threefold denouement that lies ahead. He begins by reasoning with the frivolous wife, who is overwhelmed by repentance and finally comes round to the same conception of married life as her husband. Again pretending to be the penfriend, Victor seduces the maid Félicie. On the other hand, he lets the father receive his own daughter: Prosper convinces Marie-Anne that Claude, who arrives at just the right moment, is the real author of the correspondence she has received; this is all the more welcome since the girl had imagined her ideal beloved in the persona of the young man who visited her at the shop. And, of course, Lallumette finds his... voice in time to take part in the final festivities, thanks to the advice of a Scottish doctor.

———

Ô mon bel inconnu

Comédie musicale en trois actes.
Livret de Sacha Guitry. Musique de Reynaldo Hahn.
Créée au Théâtre des Bouffes-Parisiens le 5 octobre 1933.
(Éditions Salabert)

PERSONNAGES :
PROSPER AUBERTIN, *marchand de chapeaux parisien*
ANTOINETTE, *sa femme*
MARIE-ANNE, *leur fille*
FÉLICIE, *leur bonne*
HILARION LALLUMETTE, *muet, ami de la famille*
JEAN-PAUL, *admirateur d'Antoinette*
CLAUDE, *admirateur de Marie-Anne*
UN GARÇON DE MAGASIN
M. VICTOR, *loueur de villa à Biarritz*

Les deux premiers actes à Paris, dans un appartement et une boutique de chapeaux.
Le dernier acte à Biarritz, villa « Mon Rêve ».

Ô mon bel inconnu

Musical comedy in three acts.
Libretto by Sacha Guitry. Music by Reynaldo Hahn.
First performance: Théâtre des Bouffes-Parisiens, 5 October 1933.
(Éditions Salabert)

DRAMATIS PERSONÆ:
PROSPER AUBERTIN, *a Parisian hatter*
ANTOINETTE, *his wife*
MARIE-ANNE, *their daughter*
FÉLICIE, *their maid*
HILARION LALLUMETTE, *a family friend, who is mute*
JEAN-PAUL, *an admirer of Antoinette*
CLAUDE, *an admirer of Marie-Anne*
A SHOP ASSISTANT
M. VICTOR, *owner of a villa in Biarritz*

The first two acts are set in Paris, in an apartment and hat shop.
The last act is set in Biarritz, at the villa 'Mon Rêve'.

Acte premier

Le décor représente un salon-salle à manger.
Au fond du décor, c'est le salon. Aux deux
premiers plans se trouve la salle à manger. La
table est placée à gauche. Et il y a trois chaises
autour de cette table. À droite il y a le départ
d'un escalier en colimaçon qui relie
l'appartement de M. Aubertin et le magasin
de chapellerie qu'il dirige et qui se trouve au
rez-de-chaussée. Dans le salon il y a une porte
au fond, une porte à droite, et une porte à
gauche. Il y a également une petite
bibliothèque dans laquelle il y a sûrement des
œuvres de François Coppée. Au lever du
rideau, Félicie, la bonne, prépare le couvert du
petit déjeuner du matin de ses maîtres, et elle
dresse trois couverts.

01 OUVERTURE

(N° 1 – AIR)

02 FÉLICIE
Miel,
Sel,
Thé,
Lait,
Crème,
Pain,
Beurre,
Et puis le sucre,
Et l' café noir,
Et les oranges
Pour la jeun' fille !
C'est effrayant
Ce que ça mange
À son réveil
Une famille !
Café au lait pour le patron,
Du thé léger pour la patronne
Mais que la bonne
Fasse attention !

Act One

The set represents a living-dining room. The
living room is upstage, the dining room
downstage and in the central stage area. The
table is placed stage left, with three chairs
around it. Stage right is the bottom of a spiral
staircase that connects M. Aubertin's
apartment with the hat shop he owns, which is
on the ground floor. In the living room there
are three doors, at the back, on the right and
on the left. There is also a small bookcase that
must surely contain works by François
Coppée. When the curtain rises, Félicie, the
maid, is laying the table for her employers'
breakfast: she sets three places.

OVERTURE

(No. 1 – AIR)

FÉLICIE
Honey,
Salt,
Tea,
Milk,
Cream,
Bread,
Butter,
And then the sugar,
And the black coffee,
And the oranges
For young Mademoiselle!
It's appalling
How a family
Can eat
When they wake up!
Milky coffee for Monsieur,
Weak tea for Madame,
But let the maid
Beware!

Le pain grillé	The toast
Doit êt' grillé	Must be toasted
Différemment	Differently
Pour chaqu' personne !	For each person!
Il n'est jamais,	And it's never,
Jamais grillé	Never toasted
Comme ils voulaient !	The way they wanted!
Et quant au lait	And as for the milk,
C'est sûrement	'Surely it must be
Celui d' la veille ;	Yesterday's?'
C'est effrayant	It's appalling
Ce qu'un' famille	How a family
À son réveil	Can moan
Ça peut gueuler !	When they wake up!

Mais quand, par hasard, tout est bon,	But when, by chance, everything is fine,
Et que les choses sont bien fraîches,	And the stuff's all fresh,
Lorsque le pain	When the bread
Est bien grillé	Is well toasted,
Comme ils voulaient,	Just the way they wanted,
Ne croyez pas	Don't you think
Qu' ça les empêche	It will stop them
De m'engueuler !	Telling me off!
Et lorsque tout	And when everything
Est à leur goût,	Is to their liking,
Se souvenant	Remembering
D' ce que la veille	That the day before
C'était moins bon,	It wasn't as good,
Ils m' dis' « Voyez	They say to me, 'You see,
Qu' ça peut êtr' bon	It can be good
Quand vous voulez ! »	When you put your mind to it!'
C'est effrayant	It's appalling
Ce qu'un' famille	How a family
À son réveil	Can moan
Ça peut gueuler !	When they wake up!

D'abord pourquoi du miel, du sel,	And after all, why honey, salt,
Pourquoi du thé, du lait, du beurre,	Why tea, milk, butter,
Et puis pourquoi du pain grillé,	And why toast as well
J'ai toujours peur	(I'm always afraid
D'en oublier,	I'll forget something),
Si ce n'est pas pour m'ennuyer !	If not just to annoy me?
Je suppose	I suppose

Que c'est par pose	It's just for swank
Qu'ils mang'nt tout ça !	That they eat all that!
Pourquoi du sucre	Why sugar
Et des oranges !	And oranges?
Pourquoi qu'ils mang'nt	Why don't they eat
Pas la mêm' chose !	The same thing?
Enfin, pourquoi	I mean, why
Tous ces gens-là	Don't all these people
Ne mang'nt-ils pas	Just eat
Tout simplement	Nothing but
Du chocolat	Chocolate
... Comm' moi !	Like me?

(Dès qu'elle a fini de chanter, trois portes s'ouvrent en même temps.) — *(As soon as she has finished singing, the three doors open at the same time.)*

[Dialogue]	**[Dialogue]**
MARIE-ANNE, *à la porte de gauche* Félicie !	**MARIE-ANNE,** *from the door to the left* Félicie!
FÉLICIE Mademoiselle ?	**FÉLICIE** Mademoiselle?
ANTOINETTE, *à la porte de droite* Alors, ce déjeuner ?	**ANTOINETTE,** *from the door to the right* What about our breakfast?
FÉLICIE Il est servi, Madame.	**FÉLICIE** It's served, Madame.
PROSPER, *à la porte du centre* Vous devez l'annoncer.	**PROSPER,** *from the centre door* You should announce it.
FÉLICIE Monsieur, j'allais le faire.	**FÉLICIE** I was just about to, Monsieur.
TOUS LES TROIS Eh bien ! faites-le donc !	**ALL THREE** Well, do it then!

FÉLICIE, *annonçant*
Monsieur et ces dames sont servis.

FÉLICIE, *announcing*
Monsieur, Mesdames, breakfast is served.

(Prélude à l'orchestre. Paraissent, chacune par une porte, Antoinette et Marie-Anne, et tous trois, Prosper, Antoinette et Marie-Anne se mettent à chanter.)

(Prelude in the orchestra. Antoinette and Marie-Anne appear, each emerging from her bedroom door, and all three, Prosper, Antoinette and Marie-Anne, start singing.)

(Nº 2 – Ensemble)	*(No. 2 – Ensemble)*

03 PROSPER, ANTOINETTE ET MARIE-ANNE   PROSPER, ANTOINETTE, MARIE-ANNE

Cette fille n'a pas menti,	That girl's telling the truth,
Et la chose est incontestable,	And there's no doubt about it,
Notre repas est sur la table !	Our meal is on the table!
Mangeons-le de bon appétit !	Let's eat it with a hearty appetite!
À table ! À table ! À table !	Let's sit down to it!
Et puisqu'elle n'a pas menti,	And since she was quite right,
Mangeons-le de...	Let's eat it with...

FÉLICIE, *en sortant*	FÉLICIE, *on her way out*
... bon appétit.	... A hearty appetite.

(Tous trois, ils s'asseyent.)	*(All three sit down.)*

PROSPER	PROSPER
Mangez ! mangez !	Eat! Eat!

ANTOINETTE ET MARIE-ANNE	ANTOINETTE, MARIE-ANNE
Mangeons ! Mangeons !	Let's eat! Let's eat!

ANTOINETTE	ANTOINETTE
Mon thé n'est pas assez léger !	My tea isn't weak enough!

PROSPER ET MARIE-ANNE	PROSPER, MARIE-ANNE
Ton/Son thé n'est pas assez léger.	Your/Her tea isn't weak enough.

PROSPER	PROSPER
Il ne faut pas que ça t'afflige.	You mustn't let that upset you.

ANTOINETTE	ANTOINETTE
Comment ne pas m'en affliger !	How can I not be upset?
Quand je le veux, quand je l'exige !	When I want it that way, when I insist on it?
Combien de fois l'ai-je exigé ?	How many times have I insisted on it?
Mon thé n'est pas assez léger !	My tea isn't weak enough!

MARIE-ANNE	MARIE-ANNE
Ben	Well,
Et mon pain	How about my toast,
Ma p'tit' maman	Mama?
Est-c' que tu crois	Do you think
qu'il est grillé conv'nablement ?	it's toasted properly?

Est-c' que j' m'en plains ?	Am I complaining about that?
Ton thé n'est pas assez léger,	Your tea isn't weak enough?
Regarde ce morceau de pain,	Just look at this piece of toast,
Et vois les oranges que j'ai :	And look at the oranges I've got:
Elles sont pleines de pépins !...	They're full of pips!

PROSPER

Aval' ton thé, mang' tes oranges
et mang' ton pain.

PROSPER

Drink up your tea, eat your oranges
and eat your toast.

MARIE-ANNE

Et les pépins ?

MARIE-ANNE

What about the pips?

ANTOINETTE

Tu sais que l' thé fort,
ça m'excite !

ANTOINETTE

You know that strong tea
makes me overexcited!

MARIE-ANNE

Et les pépins ?

MARIE-ANNE

What about the pips?

PROSPER

Quoi, les pépins ?

PROSPER

What about them?

MARIE-ANNE

S'ils me donnent l'appendicite ?

MARIE-ANNE

What if they give me appendicitis?

PROSPER

Voyez ce drame
Pour des orang's
Et pour du thé !
Ah ! que les femmes
Sont donc étrang's
En vérité
Mang, mang', mang', mang', mang', mang' !

PROSPER

Look at the drama they're making
Out of some oranges
And some tea!
Ah, how strange
Women are!
For goodness' sake
Eat, eat, eat, eat, eat, eat!

ANTOINETTE ET MARIE-ANNE

Il nous dit « mange » !

ANTOINETTE, MARIE-ANNE

He's telling us to eat!

PROSPER

N'vous plaignez pas !
J' pourrais vous dir' aut' chose que ça !

PROSPER

Don't complain!
I could say something else to you instead!

MARIE-ANNE
Tu veux qu' j'en mang' ?

ANTOINETTE
Tu veux qu' j'en prenne ?

PROSPER
N' crie pas comm' ça.

MARIE-ANNE ET ANTOINETTE
Eh bien ! advienne
Que pourra !

PROSPER, *parlé*
C'est assommant, pendant qu'on mange,
d'entendre crier !
(chanté) Cré nom de Dieu..
j' n'ai pas d'cuiller !

ANTOINETTE
Il est encore plus fort qu'hier.

PROSPER
Ton thé, ton thé,
moi je m'en fous !

ANTOINETTE
Il est encore plus fort qu'hier.

PROSPER
Cré nom de Dieu... j' n'ai pas d'cuiller,
Ça, c'est encore plus fort que tout !
Il faut appeler Félicie.

ANTOINETTE ET MARIE-ANNE
Félicie ! Félicie ! Félicie !
Vit', vit', vit', vit' !

FÉLICIE, *entrant*
Mon Dieu, mon Dieu... mais qu'est-c' qu'y a ?

MARIE-ANNE
Ah ! la voilà !

MARIE-ANNE
You want me to eat this?

ANTOINETTE
You want me to drink this?

PROSPER
Don't shout like that.

MARIE-ANNE, ANTOINETTE
Very well then!
You've asked for it!

PROSPER, *spoken*
It's infuriating to hear people shouting
while you eat!
(sung) For God's sake...
I don't have a spoon!

ANTOINETTE
It's even stronger than yesterday.

PROSPER
Your tea, your tea,
I couldn't care less about it!

ANTOINETTE
It's even stronger than yesterday.

PROSPER
For God's sake... I don't have a spoon!
That's worse than anything so far!
You'd better call for Félicie.

ANTOINETTE, MARIE-ANNE
Félicie! Félicie! Félicie!
Quick, quick!

FÉLICIE, *coming in*
For goodness' sake... What's wrong now?

MARIE-ANNE
Ah! Here she is!

ANTOINETTE Venez ici qu'on vous félicite.	**ANTOINETTE** Come here and let us congratulate you.
PROSPER Vous n' m'avez pas donné d' cuiller Comment voulez-vous que je mange ?	**PROSPER** You didn't give me a spoon. How do you expect me to eat?
MARIE-ANNE Y a des pépins dans mes oranges.	**MARIE-ANNE** There are pips in my oranges.
ANTOINETTE Il est encore plus fort qu'hier.	**ANTOINETTE** It's even stronger than yesterday.
PROSPER Vous n' m'avez pas donné *qu'hier.*	**PROSPER** You only gave me one yesterday.
MARIE-ANNE Y a des pépins dans mes oranges.	**MARIE-ANNE** There are pips in my oranges.
(Ensemble)	*(Together)*
PROSPER, ANTOINETTE ET MARIE-ANNE C'est assommant D'être obligé À chaque instant D' vous engueuler !	**PROSPER, ANTOINETTE, MARIE-ANNE** It's infuriating To be forced To tell you off The whole time!
PROSPER Si vous ne me donnez pas de cuiller comment voulez-vous que je mange !	**PROSPER** If you don't give me a spoon, how am I supposed to eat?
FÉLICIE C'est effrayant Ce qu'un' famill' À son réveil Ça peut gueuler !	**FÉLICIE** It's appalling How a family Can moan When they wake up!
PROSPER, ANTOINETTE ET MARIE-ANNE C'est assommant D'être obligé À chaque instant D' vous engueuler !	**PROSPER, ANTOINETTE, MARIE-ANNE** It's infuriating To be forced To tell you off The whole time!

[Dialogue]

PROSPER
Je vous avertis que, désormais, vous
déjeunerez seules toutes les deux : j'en ai
assez ! ... (à Félicie) À partir de demain,
mon café au lait, vous me l'apporterez
dans mon lit !

FÉLICIE
Oh ! oh !

PROSPER
Moi, dans mon lit, pas vous,
bien sûr !

ANTOINETTE
Mais pourquoi ?

PROSPER
Parce que je ne veux plus entendre à mon
réveil ces récriminations, ces plaintes et
ces cris !... D'abord, il n'y a qu'une
personne, ici, qui ait le droit d'élever la
voix... c'est moi !... Il me semble que l'on
oublie un peu trop dans cette maison le
respect que l'on doit au chef de famille !...
Je sens un vent d'indépendance qui se
lève, depuis cinq ou six jours, j'observe
des regards, des attitudes, des façons qui
me déplaisent !... Il me paraît, Madame,
qu'une sorte d'entente s'est établie entre
vous trois pour secouer le joug d'une
autorité qui ne faiblira pas, je vous en
avertis !... Comment...

ANTOINETTE
Mais je n'ai rien dit !

PROSPER
C'est moi qui parle... j'aurai travaillé
pendant trente ans de ma vie, j'aurai fondé
dans la même maison une chapellerie au
rez-de-chaussée et une famille à
l'entresol... j'aurai sué sang et eau pour
amasser une honnête fortune et je verrai
se liguer contre moi, ma femme, ma fille
et ma bonne... n'y comptez pas,
Mesdames !... D'abord, dès aujourd'hui,
mon déjeuner, chez moi ! Et vous deux,
tâchez de manger vite... Je veux qu'avant
neuf heures vous soyez à vos places dans
la boutique : vous, ma femme, à la caisse...
vous, ma fille, à la vente !

[Dialogue]

PROSPER
I warn you, from now on, you two will
have breakfast alone: I'm fed up with this!
... (to Félicie) From tomorrow, you will
bring me my café au lait in bed!

FÉLICIE
Ooh! Ooh!

PROSPER
I mean, with me in my bed, not you,
of course!

ANTOINETTE
But why?

PROSPER
Because I don't want to wake up and hear
all these recriminations, complaints and
shouts! First of all, there's only one person
here who has the right to raise his voice:
me!... It seems to me that the respect
owing to the head of the family is
forgotten a little too easily in this
household! I feel a wind of independence
blowing: for the past five or six days, I've
been observing looks, attitudes, ways that
I don't like. It seems to me, Madame, that
a kind of agreement has been established
between the three of you to shake off the
yoke of authority. But that yoke won't
yield, I warn you!... What was that?

ANTOINETTE
But I didn't say anything!

PROSPER
I'm the one speaking... I've worked for
thirty years of my life, I've founded in the
same house a hat shop on the ground
floor and a family upstairs... I've sweated
blood and tears to build up a decent
fortune, and now I'm to see my wife, my
daughter and my maid ganging up on me...
Don't think that will wash, ladies! First off,
from today, my breakfast in my room!
And you two, try to eat quickly... I want
you in the shop before nine o'clock: you,
my wife, at the cashier's desk, and you, my
daughter, on the sales floor!

MARIE-ANNE
Il ne vient jamais personne avant dix heures.

ANTOINETTE
Tu peux dire onze...

PROSPER
Est-ce que je vous demande de discuter ? D'abord, toi, je vais te marier... et puis, très vite, qui plus est ! C'en fera toujours une de moins dans la maison !

(Il sort en faisant claquer la porte.)

ANTOINETTE
C'est agréable !

MARIE-ANNE
Oui, c'est charmant !

FÉLICIE
D'abord pourquoi dit-il qu'on s'est ligué toutes les trois contre lui ?

ANTOINETTE
Mais je n'en sais rien.

MARIE-ANNE
Ça n'a pas de sens !

(Prosper rouvre la porte brusquement.)

PROSPER
Quant aux vacances de Pâques, c'est à Paris que nous les passerons.

ANTOINETTE
Nous n'irons pas à Saint-Jean de Luz ?

MARIE-ANNE
Ni à Royan ?

PROSPER
Non, nulle part. Dans l'état de rébellion où je vous vois, Mesdames, je n'ai nulle envie de vous avoir du matin au soir sur le dos ! D'ailleurs, ce genre de déplacement entraîne des frais... et ce n'est pas le moment de dépenser de l'argent à des bêtises. L'État fait des économies, prenons modèle sur lui.

(Il sort et derechef, il fait claquer la porte.)

ANTOINETTE
Mais qu'est-ce qu'il a ? C'est odieux.

MARIE-ANNE
Et nous voilà privées de vacances !

MARIE-ANNE
No one ever comes before ten o'clock.

ANTOINETTE
You could say eleven...

PROSPER
Did I ask you to discuss the matter? First of all, my girl, I'm going to marry you off... and smartish too! At least that will mean one less woman in the house!

(He goes out, slamming the door.)

ANTOINETTE
That's nice!

MARIE-ANNE
Yes, it's lovely!

FÉLICIE
To start with, why does he say that the three of us are ganging up on him?

ANTOINETTE
I've no idea.

MARIE-ANNE
It doesn't make any sense!

(Prosper reopens the door abruptly.)

PROSPER
As for the Easter holidays, we'll spend them in Paris.

ANTOINETTE
We're not going to Saint-Jean de Luz?

MARIE-ANNE
Or Royan?

PROSPER
No, we're not going anywhere. In the state of rebellion I see you ladies in, I have no desire to have you on my back from morning to night! Besides, that kind of trip costs money... and this is no time to be spending money on frivolities. The government is saving money, let's take a leaf out of its book.

(He goes out and slams the door again.)

ANTOINETTE
What's wrong with him? It's obnoxious.

MARIE-ANNE
And now we're deprived of our holiday!

ANTOINETTE
Portez-lui vite son déjeuner !

FÉLICIE
J'y vais, Madame.

(Et elle sort avec le déjeuner de Prosper.)

ANTOINETTE
Ma pauvre enfant, ton père devient invivable.

MARIE-ANNE
Ce n'est pas moi qui l'ai choisi, maman.

ANTOINETTE
Ni moi non plus, va, je te le promets !

MARIE-ANNE
Comment, ni toi non plus !... Alors qui l'a choisi pour toi ?

ANTOINETTE
Mes parents, tiens, pardi !

MARIE-ANNE
Tu m'inquiètes, maman...

ANTOINETTE
Il m'en a coupé l'appétit !... Dès le matin... c'est infernal d'entendre crier comme ça !... Quel caractère !

MARIE-ANNE
Et ça a déteint sur nous, maman, je m'en aperçois très bien ! Nous devenons maussades et nerveuses nous-mêmes.

ANTOINETTE
Évidemment !... Mais le fautif, le responsable...

MARIE-ANNE
Ah ! ça, c'est lui !

ANTOINETTE
N'est-ce pas ?

MARIE-ANNE
Bien sûr !

ANTOINETTE
Alors...

MARIE-ANNE
Ma foi...

ANTOINETTE
Tant pis pour lui !...
Ah ! non...

ANTOINETTE
Take him his breakfast quickly!

FÉLICIE
I'm on my way, Madame.

(And she goes out with Prosper's breakfast.)

ANTOINETTE
My poor child, your father is becoming impossible to live with.

MARIE-ANNE
I didn't choose him, Mama.

ANTOINETTE
Neither did I, I can promise you!

MARIE-ANNE
What, neither did you? Then who chose him for you?

ANTOINETTE
My parents, of course!

MARIE-ANNE
You're getting me worried, Mama...

ANTOINETTE
He's ruined my appetite! Right from early in the morning... It's excruciating to hear him shouting like that! What a temper!

MARIE-ANNE
And it's rubbed off on us, Mama, I can see that! We're getting sullen and fretful ourselves.

ANTOINETTE
Of course! But the culprit, the one who's responsible...

MARIE-ANNE
It's him.

ANTOINETTE
Isn't it just?

MARIE-ANNE
Of course!

ANTOINETTE
So...

MARIE-ANNE
Well...

ANTOINETTE
So much the worse for him! We want none of it!

MARIE-ANNE
Merci !

ANTOINETTE
Enfin !

MARIE-ANNE
Oui...

ANTOINETTE
Hein ?

MARIE-ANNE
Ah !!!

ANTOINETTE
Pas ?

MARIE-ANNE
Tiens !

ANTOINETTE
Quoi ?

MARIE-ANNE
Rien.

ANTOINETTE
Tu baisses les yeux... ?

MARIE-ANNE
Mais non, maman.

ANTOINETTE
Mais si, Marie-Anne !... Pourquoi
baisses-tu les yeux ?

MARIE-ANNE
Parce que tu rougis.

ANTOINETTE
Moi, je rougis ?

MARIE-ANNE
Mais oui, maman.

ANTOINETTE
Parlons d'autre chose.

MARIE-ANNE
Avec plaisir.

(Elles se regardent sans rien trouver à se
dire. Elles se sourient.)

ANTOINETTE
À tout à l'heure.

(Elle se lève.)

MARIE-ANNE
C'est ça, maman.

MARIE-ANNE
No thanks!

ANTOINETTE
Finally!

MARIE-ANNE
Yes...

ANTOINETTE
Isn't that right?

MARIE-ANNE
Ah!!!

ANTOINETTE
Not...?

MARIE-ANNE
Listen...

ANTOINETTE
What?

MARIE-ANNE
Nothing.

ANTOINETTE
Are you avoiding my gaze?

MARIE-ANNE
No, Mama, I'm not.

ANTOINETTE
Of course you are, Marie-Anne! Why
are you looking away?

MARIE-ANNE
Because you're blushing.

ANTOINETTE
Me, blushing?

MARIE-ANNE
Yes you are, Mama.

ANTOINETTE
Let's talk about something else.

MARIE-ANNE
I'd love to.

(They look at each other without finding
anything to say. They smile at each other.)

ANTOINETTE
I'll see you later.

(She gets up.)

MARIE-ANNE
That's right, Mama.

(Elle se lève aussi. On entend une sonnette, c'est la sonnette de la porte d'entrée de la boutique.)

ANTOINETTE
Ah ! Un client... déjà !

MARIE-ANNE
Ça va être encore ce jeune homme, tu vas voir...

(Elle se penche sur l'escalier.)

ANTOINETTE
Quel jeune homme ? Le petit maigriot, que j'ai aperçu l'autre jour ?

MARIE-ANNE
Oui, maman... mais ce n'est pas lui. C'est le garçon de magasin.

ANTOINETTE
Dis donc, il me semble qu'il vient bien souvent... ce jeune homme dont tu parles...

MARIE-ANNE
Tu peux le dire qu'il vient souvent : deux fois par jour !

ANTOINETTE
Comment, deux fois par jour ?

MARIE-ANNE
Hier, il est venu deux fois... il a acheté deux melons...

ANTOINETTE
Deux melons ?

MARIE-ANNE
Oui, maman. Avant-hier déjà il en avait acheté un...

ANTOINETTE
Oh ! Ce n'est pas normal, ça ! Qu'on achète un melon... deux melons au besoin... mais pas trois ! Et jamais un mot... jamais un geste ne lui échappe qui puisse te laisser supposer qu'il brûle pour toi d'un sentiment...

MARIE-ANNE
Non, ça, pour être franche, non... malgré sa pâleur, malgré son émoi, je n'ai pas l'impression...

ANTOINETTE
Oui, mais c'est que tu es très innocente...

(She gets up too. A bell rings: it is the shop door.)

ANTOINETTE
Ah! A customer! Already!

MARIE-ANNE
It'll be that young man again, you'll see...

(She leans over the stairs.)

ANTOINETTE
What young man? The skinny little fellow I saw the other day?

MARIE-ANNE
Yes, Mama... but it's not him. It's the shop assistant.

ANTOINETTE
Tell me, I have the impression he comes very often... that young man you're talking about...

MARIE-ANNE
You can say that again: he comes twice a day!

ANTOINETTE
What? Twice a day?

MARIE-ANNE
Yesterday he came twice – he bought two bowlers...

ANTOINETTE
Two bowlers?

MARIE-ANNE
Yes, Mama. He had already bought one the day before yesterday...

ANTOINETTE
Oh! That's odd! A man may buy a bowler... two bowlers if need be... but not three! And there's never a word, never a gesture that suggests he's burning for you with a certain feeling...

MARIE-ANNE
No, to be honest, no... He's pale, he seems troubled, but I don't have the impression...

ANTOINETTE
Yes, but you're very innocent...

MARIE-ANNE
Je suis innocente, il est vrai, mais comme les clients que je sers n'ont pas tous la même réserve à mon égard...

ANTOINETTE
Comment, ils n'ont pas...

MARIE-ANNE
Mais non, maman, tu penses bien. Je ne te dis pas qu'ils se conduisent mal, mais ils se conduisent plus ou moins bien.

ANTOINETTE
Mais je ne veux pas de ça.

MARIE-ANNE
Oh ! écoute, maman, il faut être juste, vous avez trouvé, papa et toi, très fort et très malin de me mettre à la vente... vous deviez bien vous y attendre. C'est moi qui propose les chapeaux, c'est moi qui les essaie... allons, voyons, maman, rends-toi compte du métier que je fais. Rends-toi compte.

(Elle chante.)

MARIE-ANNE
I'm innocent, it's true, but since the clients I serve aren't all so restrained in the way they behave to me...

ANTOINETTE
What do you mean? They haven't...

MARIE-ANNE
No, Mama, don't go thinking that. I'm not saying they misbehave, but they behave more or less properly.

ANTOINETTE
But I don't want that sort of thing.

MARIE-ANNE
Oh! Listen, Mama, let's be fair, it was very clever and shrewd of you and Papa to make me your salesgirl. You must have expected this to happen. I'm the one who presents the hats, I'm the one who fits them... Come on, Mama, think of the job I do. Just think of it.

(She sings.)

(Nº 3 – COUPLETS)

(No.3 – COUPLETS)

04 **MARIE-ANNE**
(1.)
Allons, Monsieur, laissez-moi faire...
Essayez donc ce sept et quart,
Je crois que voilà votre affaire...
Mais asseyez-vous, Monsieur, car
S'il est un peu petit pour vous,
Vous êtes un peu grand pour moi,
Je vous l'avoue !

On peut vous faire à la demande
Un feutre gris, beige ou chamois.
Préférez-vous ce vert amande,
Avec un' ptit' plum' de coq,
Comme on en porte encore à Vienne ?
Ou bien peut-être ce bangkok
Car voici les beaux jours qui viennent !

Voyons, maman, tu n'es pas bête
Et tu dois bien comprendre enfin

MARIE-ANNE
(1.)
Come now, Monsieur, let me help you...
Try this size seven and a quarter,
I believe it will suit you...
But sit down, Monsieur, because
If it's a little small for you,
You're a little tall for me,
I confess!

We can do you to order
A grey, beige or chamois felt.
Do you prefer this almond-green one
With a little rooster feather,
The way they still wear them in Vienna?
Or maybe this Bangkok,
As the warm season is approaching?

Come on, Mama, you're not stupid,
And you really ought to understand

Que mon métier,	That the harder I try
plus je m'appliqu' à le fair' bien,	to do my job well,
Plus ça leur fait tourner la tête !	The more it turns their heads!

(II.)

Laissez-moi, Monsieur, vous le mettre...
Vous ne l'entrez pas comme il faut,
Il s'en faut d'un p'tit centimètre,
C'est là, je crois, son seul défaut,
J'vous ai fait mal... non, ce n'est rien !
C'est que je veux
Qu'il entre bien !

Moi je veux bien être gentille
Mais ce n'est pas le métier qu'il faut
À mon avis, pour un' jeun' fille
Car ils ne disent rien tout haut,
Mais y a des choses
qu'on me chuchote
En me demandant un chapeau
Qui mériteraient une calotte.

Voyons, maman, dis, tu n'es pas bête
Et tu dois bien comprendre enfin
Qu' si mes chapeaux ne leur vont pas
tout d'suite très bien,
C'est parce qu'ils perd' un peu la tête !

(II.)

Let me put it on you, Monsieur...
You're not getting right into it,
There's a tiny centimetre missing,
That, I think, is all that's wrong with it.
I hurt you... no, it's nothing!
It's just that I want
To make sure your head gets right in!

I'm quite prepared to be friendly,
But it's not the right profession,
In my opinion, for a young girl,
Because they don't say anything out loud,
But there are some things
they whisper to me,
When they ask me for a hat,
Which would deserve a slap.

Come on, Mama, you're not stupid,
And you really ought to understand
That if my hats don't fit them
right away,
It's because they lose their heads a bit!

[Dialogue]

ANTOINETTE
Mais tu as tout à fait raison... Nous étions
fous, ton père et moi... et je vais lui en dire
deux mots tout de suite...

MARIE-ANNE
Oh ! N'en fais rien, je t'en supplie !... Dans
l'état où il est, ce n'est vraiment pas le
jour !

ANTOINETTE
S'il faut que j'attende qu'il soit de bonne
humeur pour lui en parler...

MARIE-ANNE
Attends quand même, ça vaut mieux...
Déjà tout à l'heure il a fait une allusion à
mon mariage... il serait capable de m'en

[Dialogue]

ANTOINETTE
But you're absolutely right! We were out
of our minds, your father and I! And I'm
going to tell him what I think right now...

MARIE-ANNE
Oh! Don't do that, I beg you!
In the state he's in, today is really not
the day!

ANTOINETTE
If I have to wait until he's in a good mood
to tell him...

MARIE-ANNE
Wait all the same, it'll be better. Already,
earlier on, he was talking of marrying me
off... He'd be capable of arranging a

bâcler un, dans un mouvement de colère...
non... non... non... non...

ANTOINETTE
Cependant, mon enfant, c'est un sujet qu'il
faudra que nous abordions un de ces jours...

MARIE-ANNE
Oui ! Eh bien, nous en parlerons... quand
je t'en parlerai, dans... quelques jours,
peut-être !

ANTOINETTE
Tu m'inquiètes.

MARIE-ANNE
Laisse-moi faire...

ANTOINETTE
Mais qu'est-ce que tu fais donc ?

MARIE-ANNE
J'espère en Dieu, maman...

ANTOINETTE
Oh ! oh !

MARIE-ANNE
Serait-ce un crime ?

LE GARÇON DE MAGASIN, *dont la tête
apparaît au haut de l'escalier*
Voilà le petit client de Mademoiselle qui
arrive...

ANTOINETTE
Comment « son » petit client ?!...

MARIE-ANNE
Veux-tu que je ne le reçoive pas ?

ANTOINETTE
En tout cas, je ne veux pas que tu le
reçoives en peignoir.

MARIE-ANNE
Préfères-tu que je le fasse attendre... ou
bien que je le renvoie ?

ANTOINETTE
Non, ce que je préfère, c'est le recevoir
moi-même. Moi, ça n'a pas d'importance.

MARIE-ANNE
Très bonne idée, maman... et débarrasse-
m'en, je t'en supplie !...
Priez ce monsieur de monter !

ANTOINETTE
Je veux en avoir le cœur net !

(Le Garçon de magasin a disparu.)

botched wedding quickly, in a fit of anger...
No, no, no, no!

ANTOINETTE
Still, my child, it's a subject that we will
have to discuss one of these days...

MARIE-ANNE
Yes! Well, we'll talk about that... when I
tell you about it – in a few days,
perhaps!

ANTOINETTE
You've got me worried there.

MARIE-ANNE
Let me handle it...

ANTOINETTE
What on earth are you up to?

MARIE-ANNE
I trust in God, Mama...

ANTOINETTE
Oh! Oh!

MARIE-ANNE
Is that a crime?

THE SHOP ASSISTANT, *whose head appears
at the top of the stairs*
Here comes Mademoiselle's little
customer!

ANTOINETTE
What do you mean, 'her' little customer?

MARIE-ANNE
Don't you want me to serve him?

ANTOINETTE
In any case, I don't want you to serve him
in your dressing gown!

MARIE-ANNE
Would you rather I kept him waiting... or
sent him away?

ANTOINETTE
No, I'd rather serve him myself. It doesn't
matter in my case.

MARIE-ANNE
Excellent idea, Mama... and get rid of him
for me, I beg you!
Please ask the gentleman to come up.

ANTOINETTE
I want to get to the bottom of this!

(Exit Shop Assistant.)

MARIE-ANNE
Dis-donc, maman... j'ai oublié de te dire une chose : tu sais que je t'aime !

ANTOINETTE
Eh bien ! et moi !

MARIE-ANNE
Alors, la vie est belle ! À tout de suite, maman !

ANTOINETTE
À tout de suite, chérie. *(La fille sort. Un instant plus tard, un jeune homme élégant, mais un peu ridicule, paraît au haut de l'escalier. C'est Jean-Paul.)* Venez, Monsieur.

JEAN-PAUL
Merci, Madame.

ANTOINETTE
Asseyez-vous.

JEAN-PAUL
Avec plaisir.

(Il s'assied, la regarde et soupire.)

ANTOINETTE
Mais qu'est-ce qu'il y a ? *(Il frémit.)* Vous n'êtes pas souffrant ?

JEAN-PAUL
Oh ! non, Madame, non... Je suis dans un état... délicieux ! Je ne vous propose pas de passer votre main sur mes deux avant-bras... en remontant, comme ça... mais croyez-moi sur parole, j'en ai la chair de poule.

ANTOINETTE
À quoi attribuez-vous ça ?

JEAN-PAUL
À l'émotion, Madame.

ANTOINETTE
À l'émotion ?

JEAN-PAUL
Je suis ému... ému comme je ne l'ai pas été depuis...

ANTOINETTE
Votre première communion ?

JEAN-PAUL
Non... pas précisément, Madame, mais enfin...

MARIE-ANNE
Oh, Mama... I forgot to tell you one thing: you know I love you!

ANTOINETTE
Me too!

MARIE-ANNE
All's well with the world, then! I'll see you in a moment, Mama!

ANTOINETTE
See you in a moment, dear. *(Exit Marie-Anne. A moment later, an elegant but slightly ridiculous young man appears at the top of the stairs. His name is Jean-Paul.)* Come in, Monsieur.

JEAN-PAUL
Thank you, Madame.

ANTOINETTE
Sit down, please.

JEAN-PAUL
With great pleasure.

(He sits down, looks at her and sighs.)

ANTOINETTE
Is there something wrong? *(He shivers.)* You're not unwell, I hope?

JEAN-PAUL
Oh no, Madame, no. I'm in a state that's... delicious! I don't suggest you should place your hand on my forearms... rolling up my sleeves, like that... but take my word for it, I've got goose-pimples.

ANTOINETTE
To what do you attribute that?

JEAN-PAUL
To my emotional turmoil, Madame.

ANTOINETTE
Emotional turmoil?

JEAN-PAUL
I am moved... moved as I haven't been since...

ANTOINETTE
Your first communion?

JEAN-PAUL
No... not exactly, Madame, but...

ANTOINETTE
Quoi... vous ne l'avez pas faite ?

JEAN-PAUL
Heu... Non, Madame, pas encore.

ANTOINETTE
Quel âge avez-vous donc ?

JEAN-PAUL
J'ai vingt-deux ans, Madame.

ANTOINETTE
Qu'est-ce que vous attendez ?

JEAN-PAUL
L'occasion, Madame.

ANTOINETTE
Vous êtes négligent.

JEAN-PAUL
Heu... Non, Madame, israélite.

ANTOINETTE
Israélite ?

JEAN-PAUL
Oui, Madame, mais vous n'avez qu'un mot
à dire...

ANTOINETTE
Et vous vous faites catholique ?

JEAN-PAUL
Mais je me ferais voleur, si vous me le
demandiez !

ANTOINETTE
Ça n'a pas de rapport !

JEAN-PAUL
Non, mais c'est pour vous dire... et c'est
pour vous prouver quelle est la violence
du sentiment qui m'anime...

ANTOINETTE
En effet, oui, je vois. Eh bien ! mais
parlons-en.

JEAN-PAUL
Oui, c'est ça, parlons-en, parlons-en
tous les deux ! Quel bonheur ! Quelle
ivresse !

ANTOINETTE
Calmez-vous !

JEAN-PAUL
Calmez-moi !

ANTOINETTE
What... you haven't had your first
communion?

JEAN-PAUL
Er, no, Madame, not yet.

ANTOINETTE
How old are you, then?

JEAN-PAUL
I'm twenty-two, Madame.

ANTOINETTE
What are you waiting for?

JEAN-PAUL
The opportunity, Madame.

ANTOINETTE
You are negligent.

JEAN-PAUL
Er... No, Madame, Jewish.

ANTOINETTE
Jewish?

JEAN-PAUL
Yes, Madame, but you only have to say
the word...

ANTOINETTE
And you'll become a Catholic?

JEAN-PAUL
I'd become a thief if you asked me to!

ANTOINETTE
That's got nothing to do with it!

JEAN-PAUL
No, but it's to show you... to prove to
you the violence of the feeling that
possesses me...

ANTOINETTE
Indeed, yes, I see. Well! But let's talk
about it.

JEAN-PAUL
Yes, that's right, let's talk about it, let's
both talk about it! What happiness! What
exhilaration!

ANTOINETTE
Please calm down!

JEAN-PAUL
Calm down?

ANTOINETTE
Tout d'abord, comme je tiens... comme je
veux que cette première entrevue reste
secrète... et comme d'autre part,
quelqu'un peut entrer d'un instant à
l'autre, ne perdons pas de temps...

JEAN-PAUL
Ah ! Quelle bonne idée !

ANTOINETTE
Permettez-moi donc d'aller brutalement
au fait...

JEAN-PAUL
Je vous le demande.

ANTOINETTE
Eh ! bien je vous pose, à vous, la première
question que je me pose à moi-même. Elle
est fort délicate, mais vous êtes trop
intelligent pour ne pas me comprendre...
car vous êtes intelligent, n'est-ce pas ?

JEAN-PAUL
Ce n'est qu'un cri, dans ma famille.

ANTOINETTE
Avez-vous de l'argent ?

JEAN-PAUL
J'en ai.

ANTOINETTE
Beaucoup ?

JEAN-PAUL
Pas mal.

ANTOINETTE
Mais encore ?

JEAN-PAUL
Fixez la somme.

ANTOINETTE
Ah ! non.

JEAN-PAUL
Mais si, c'est bien plus simple. Dites-moi
ce que vous voulez.

ANTOINETTE
Non, c'est à vous de me dire.

JEAN-PAUL
Eh bien ! voyons... mille francs chaque fois,
est-ce que c'est bien ?

ANTOINETTE
Comment, chaque fois ?

ANTOINETTE
First of all, since I want... since I want this
first conversation to stay secret... and
since, moreover, someone may come in at
any moment, let's not waste any time...

JEAN-PAUL
Ah! What a good idea!

ANTOINETTE
So let me get straight to the point...

JEAN-PAUL
Please do!

ANTOINETTE
Well, I shall ask you the first question I've
been asking myself. It's a very delicate
one, but you're too intelligent not to
understand me... because you are
intelligent, aren't you?

JEAN-PAUL
That's what everyone says in my family.

ANTOINETTE
Do you have any money?

JEAN-PAUL
I do.

ANTOINETTE
A lot?

JEAN-PAUL
A fair sum.

ANTOINETTE
Could you be more specific?

JEAN-PAUL
Name a sum.

ANTOINETTE
Ah, no!

JEAN-PAUL
Yes, it's far simpler. Just tell me what
you want.

ANTOINETTE
No, you tell me.

JEAN-PAUL
Well, let's see... a thousand francs each
time, is that right?

ANTOINETTE
What do you mean, each time?

JEAN-PAUL
Oui, chaque fois qu'on le fera. J'ai 22 ans…
ça peut faire une grosse somme à la fin de
l'année.

ANTOINETTE
Mais ça ne peut pas se compter comme ça.

JEAN-PAUL
Alors, comptons par mois.

ANTOINETTE
Mais non, dites une somme qui sera pour
toujours.

JEAN-PAUL
Ah ! Bon !… Alors, en somme, un forfait ?…
Je veux bien. Voulez-vous cent mille
francs ?

ANTOINETTE
Comment, cent mille francs, voyons, vous
plaisantez… mon mari donne cinq cent
mille francs…

JEAN-PAUL
À sa maîtresse ?

ANTOINETTE
Non, à sa fille.

JEAN-PAUL
Oh ! Madame ! je ne comprends pas.

ANTOINETTE
La petite a cinq cent mille francs
de dot.

JEAN-PAUL
Mais, quel rapport ?

ANTOINETTE
5%.

JEAN-PAUL
Non, je dis : quel rapport y a-t-il entre la
dot de votre fille et ce que je peux vous
offrir à vous ? Ce n'est pas un mariage que
je vous propose.

ANTOINETTE
Comment, ce n'est pas un mariage ?

JEAN-PAUL
C'est une aventure.

ANTOINETTE
Une aventure ? Mais ma fille n'est pas à
vendre.

JEAN-PAUL
Yes, each time we do it. I'm twenty-two –
that could add up to a tidy amount at the
end of the year.

ANTOINETTE
But one can't count it like that!

JEAN-PAUL
Then let's count at a monthly rate.

ANTOINETTE
No, no, name a sum once and for all.

JEAN-PAUL
Ah, right! So, in short, a flat fee? That's
fine by me. Do you want a hundred
thousand francs?

ANTOINETTE
What? A hundred thousand francs? Come
on, you must be joking… My husband's
giving five hundred thousand francs…

JEAN-PAUL
To his mistress?

ANTOINETTE
No, to his daughter.

JEAN-PAUL
Oh! Madame! I don't understand.

ANTOINETTE
The girl has a dowry of five hundred
thousand francs.

JEAN-PAUL
But what's the interest?

ANTOINETTE
Five per cent.

JEAN-PAUL
No, I'm saying, of what interest is your
daughter's dowry to me? It's irrelevant to
what I can offer you. I'm not offering you a
marriage proposal.

ANTOINETTE
What do you mean, not a marriage
proposal?

JEAN-PAUL
I'm offering an affair.

ANTOINETTE
An affair? But my daughter is not for sale.

JEAN-PAUL
Mais il ne s'agit pas de votre fille,
Madame... il s'agit de vous.

ANTOINETTE
Comment, de moi ?

JEAN-PAUL
Bien entendu. Ce n'est pas votre fille que
j'aime : c'est vous.

ANTOINETTE
Mais c'est horrible, alors.

JEAN-PAUL
Quoi donc ?

ANTOINETTE
Notre conversation ! Ce marché ! Vous
avez cru... mais c'est affreux ! Vous avez cru
que je vous demandais de l'argent pour...

JEAN-PAUL
Ça m'étonnait, je vous l'avoue.

ANTOINETTE
Comme c'est curieux tout de même, la
vie, les habitudes, les coutumes. Tout ce
que nous avons dit me semblait naturel,
quand je pensais que c'était de ma fille
qu'il s'agissait...

JEAN-PAUL
Oui, c'est vrai, c'est curieux. Si je vous
apporte un million de dot, vous me la
donnez pour toute la vie, mais quand vous
croyez que je vous offre cent mille francs
pour un jour, vous me répondez qu'elle
n'est pas à vendre.

ANTOINETTE
En effet, oui, c'est effarant !

JEAN-PAUL
Mais laissons cela, et parlons vite un peu
de nous.

ANTOINETTE
Comment, de nous ?

JEAN-PAUL
Oui, de nous deux. Maintenant que vous
savez que je vous aime, encouragez-moi à
vous le répéter.

ANTOINETTE
Mais jamais de la vie !

JEAN-PAUL
Pourquoi ?

JEAN-PAUL
But I'm not talking about your daughter,
Madame... I'm talking about you.

ANTOINETTE
What? About me?

JEAN-PAUL
Of course. It's not your daughter I love:
it's you.

ANTOINETTE
But that's horrible!

JEAN-PAUL
What is?

ANTOINETTE
Our conversation! This bargaining! You
thought... but it's awful! You thought I was
asking you for money to...

JEAN-PAUL
That did astonish me, I must admit.

ANTOINETTE
How curious it all is, though: our lives, our
habits, our customs. Everything we said
seemed natural to me, when I thought we
were talking about my daughter...

JEAN-PAUL
Yes, that's true, it is odd. If I bring you a
dowry of a million, you give her to me for
life, but when you think I'm offering you a
hundred thousand francs for a day, you tell
me she's not for sale.

ANTOINETTE
Yes indeed, it's utterly appalling!

JEAN-PAUL
But let's leave that aside, and quickly chat
a bit about ourselves.

ANTOINETTE
What? About ourselves?

JEAN-PAUL
Yes, the two of us. Now that you know I
love you, encourage me to tell you
again.

ANTOINETTE
Never in a million years!

JEAN-PAUL
Why?

ANTOINETTE
Comment, pourquoi ?... je suis une femme
honnête...

JEAN-PAUL
C'est pour ça que je vous aime !... Laissez-
moi vous le prouver !... Quand je vous
l'aurai prouvé, vous n'en douterez plus...
Laissez-moi vous le prouver...

ANTOINETTE
Me le prouver... comment ?

JEAN-PAUL
C'est un secret... c'est une surprise... n'ayez
pas peur... dites-moi de vous prouver...
vous en mourez d'envie !

ANTOINETTE
Eh bien ! prouvez-le moi !

JEAN-PAUL
Eh bien ! alors, tenez...

(Il lui pince le derrière.)

ANTOINETTE
Oh !

(Musique. Elle chante.)

ANTOINETTE
What do you mean, why? I'm an honest
woman...

JEAN-PAUL
That's why I love you! Let me prove it to
you! When I've proved it to you, you
won't doubt it any longer... Let me prove
it...

ANTOINETTE
Prove it to me? How?

JEAN-PAUL
That's a secret... a surprise... Don't be
afraid: tell me to prove it to you... You're
dying to know!

ANTOINETTE
Well then! Prove it to me!

JEAN-PAUL
Well then, here we are...

(He pinches her bottom.)

ANTOINETTE
Oh!

(Music. She sings.)

(Nº 4 – Duo)

(No. 4 – Duet)

05 **ANTOINETTE**
Mais ! vous m'avez pincé le derrière.

JEAN-PAUL
C'est en effet
Ce que j'ai fait !
Je vous ai pincé le derrière !
Dit' moi l'effet
Que ça vous fait ?

ANTOINETTE
Comment l'effet que ça vous fait ?
Abominable, en vérité !
Car en me pinçant le derrière,
Jeune homme, vous m'avez traitée
Comm' la dernière des dernières !

ANTOINETTE
Hey! You pinched my bottom!

JEAN-PAUL
Yes indeed, that's
What I did!
I pinched your bottom!
Tell me the effect
It had on you.

ANTOINETTE
What do you mean, the effect it had on me?
A revolting one, to be frank!
Because when you pinched my bottom,
Young man, you treated me
Like the lowest of the low!

JEAN-PAUL
Mais non !

JEAN-PAUL
No I didn't!

ANTOINETTE
Mais si !

ANTOINETTE
Yes you did!

JEAN-PAUL
Mais non, mais non...

JEAN-PAUL
No, no I didn't...

ANTOINETTE
Mais si ! mais si !
L'injure est vive !

ANTOINETTE
Yes, yes you did!
It's a stinging insult!

JEAN-PAUL
Est-elle vive ?

JEAN-PAUL
It's stinging, is it?

ANTOINETTE
Elle est très vive !
C'est la première fois
que l'on me traite ainsi !

ANTOINETTE
It's stinging a lot!
It's the first time
I've been treated like that!

JEAN-PAUL
Vous voyez qu'à la fin, madame,
tout arrive !
Non, l'injure n'est pas très vive,
Car si la chose vous arrive
Aujourd'hui pour la première fois,
C'est aussi la première fois
Que la chose m'arrive à moi.
Car en effet, c'que j'vous ai fait,
Je n'l'avais encore jamais fait !

JEAN-PAUL
So you see, Madame, everything happens
sooner or later!
No, the insult can't sting too much,
Because if this has happened to you
For the first time today,
It's also the first time
It's happened to me.
For, in fact, what I did to you,
I've never done before!

ANTOINETTE
Est-ce bien vrai ?

ANTOINETTE
Is that so?

JEAN-PAUL
Je vous le jure !

JEAN-PAUL
I swear it!

ANTOINETTE
Jamais, jamais ?

ANTOINETTE
Never, ever?

JEAN-PAUL
Jamais !

JEAN-PAUL
Never!

ANTOINETTE
Alors la chose est en effet
Moins grave que je ne pensais...

JEAN-PAUL
Non !

ANTOINETTE ET JEAN-PAUL
Et l'injure n'est pas très vive,
Puisque la chose nous arrive
À vous comme à moi,
Pour la première fois !

[Suite du duo qui n'a pas été mis en musique par Hahn]

JEAN-PAUL
Laissez-moi, maintenant,
vous expliquer ce geste
Un peu, dirais-je, leste
Et même cavalier...
Mais entre nous,
pas si mauvais pour se lier.
Quand on est jeune, on a toujours
un point de mire,
On a toujours un camarade qu'on admire...
J'en avais un que j'admirais,
Il s'appelait Lucien Muray...
Et tous, d'ailleurs,
Nous l'admirons,
Son père était tailleur,
Et natif de Riom.
Qu'il fût tailleur,
D'ailleurs,
Ou courtier d'assurances,
La chose importe peu, Madame,
en l'occurrence.
Nous l'admirions,
Cet indigène de Riom,
Et savez-vous pourquoi nous l'admirions,
Madame ?
C'est parce qu'il pinçait
le derrière des femmes.
« Les déclarations d'amour, nous disait-il,
C'est très gentil... »
Il prononçait « genti*l* » – par pose,
Car il n'avait aucun accent.
« Mais, disait-il,
Si c'est gentil, c'est agaçant...
C'est compliqué...

ANTOINETTE
Then I suppose the thing
Is not as bad as I thought...

JEAN-PAUL
No!

ANTOINETTE, JEAN-PAUL
And the insult doesn't sting too much,
Since this thing is happening,
To you as well as to me,
For the first time!

[Continuation of the duet, not set to music by Hahn]

JEAN-PAUL
Now, let me explain to you
that gesture
Which I would call rather risqué
And even cavalier...
But, between you and me,
not so bad for getting friendly.
When you're young, you always have
a mentor,
You always have a friend you admire.
I had one that I admired,
Whose name was Lucien Muray...
And, for that matter,
We all admired him.
His father was a tailor,
And a native of Riom.
Though whether he was a tailor,
In point of fact,
Or an insurance broker,
Hardly matters, Madame,
in this case.
We admired him,
That native of Riom,
And do you know why we admired him,
Madame?
It's because he pinched
women's bottoms.
'Declarations of love', he would tell us,
'Are naice enough,'
(He said 'naice' instead of 'nice',
Out of sheer affectation)
'But', he would say,
'Though they're naice, they're bothersome,
They're complicated,

Et vis-à-vis de quelques-unes, c'est risqué.
Car un mot mal compris
parfois les indispose,
Tandis qu'en leur pinçant
Le derrière on s'expose
À des ennuis quelquefois vifs,
certainement »,
Et même il prétendait,
Cet animal,
Que plus il leur faisait de mal,
Plus vite encor elles cédaient !
Et nous étions tous convaincus,
Je le confesse,
Que les femmes étaient vaincues
Sitôt qu'on leur... faisait ce que je me suis
permis de vous faire.

ANTOINETTE
Eh bien ! cher Monsieur, votre ami
N'était qu'un chenapan.
Et s'il s'était permis
Ce geste-là
Sur ma personne... ah ! ah !...
Pan ! Pan !

JEAN-PAUL
Je ne crois pas.

ANTOINETTE
Ah ! vous ne croyez pas ?
Mais moi, je vous le jure !
Et ces femmes étaient
d'étranges créatures
Qui pouvaient supporter cela.

JEAN-PAUL
Hum !... Ça dépend !

ANTOINETTE
Non, ça ne dépend pas !... Non, non, non,
non... Pan ! Pan !

JEAN-PAUL
On croit, oui, que : Pan ! Pan !
Mais, pas toujours : Pan ! Pan !
Les chenapans,
Se disculpant,
Dans des regards enveloppants,
Peuvent convaincre
Sinon vaincre !
Et je connais un tout jeune homme,
assez modeste,
Natif de Châteauroux, dans l'Indre,
Qui, pour ses débuts dans ce geste,
N'a pas, mon Dieu,
trop à se plaindre.

And with some ladies, they're risky.
Because a misunderstood word
sometimes makes them uncomfortable,
Whereas by pinching them
On the bottom, one does expose oneself
To serious trouble sometimes,
it's true.'
But he even claimed,
That beast,
That the more he hurt them,
The faster they yielded!
And we were all convinced,
I do confess,
That women were vanquished
As soon as one... did to them what I
permitted myself to do to you.

ANTOINETTE
Well! Dear Monsieur, your friend
Was no more than a scoundrel.
And if he had permitted himself
To perform that gesture
On my person – ah! ah! –
Slap! Slap!

JEAN-PAUL
I don't think so.

ANTOINETTE
Ah! You don't think so?
But I swear to it!
And those women were
strange creatures
If they could stand for it.

JEAN-PAUL
Hmm... That all depends!

ANTOINETTE
No, it doesn't depend! No, no, no, no...
Slap! Slap!

JEAN-PAUL
Yes, one may believe it's: Slap! Slap!
But it isn't always: Slap! Slap!
Scoundrels,
Proclaiming their innocence
In cajoling glances,
Are capable of convincing,
If not of vanquishing!
And I know a very young man,
quite modest,
A native of Châteauroux in the Indre,
Who, for his first attempt at that gesture,
My word, doesn't have too much
to complain about.

ANTOINETTE
Oui... ho ! mais là...

JEAN-PAUL
Je sais très bien.

ANTOINETTE
Non, vous ne savez rien.
Il est des cas particuliers,
Et je connais quelqu'un qui,
natif de l'Allier,
Tout près de Montluçon,
Présente un cas justement
très particulier,
Oui, mon garçon,
Et vous ne pouvez pas comprendre
l'importance...
Enfin... passons...
De ce pinçon.
(à part)
Dissimulons-lui mon émoi,
Mais, désormais, quelle confiance
En moi !

JEAN-PAUL, à part
Ah ! les femmes, c'est singulier...
Qu'elles soient de l'Ille-et-Vilaine
Ou de l'Allier !
Qu'elles soient belles ou vilaines,
Ou dans l'aisance –
ou de l'Ardèche,
Ou dans la dèche,
Ou de l'Allier,
Elles se croient toujours un cas particulier,
Et trouvent à leur chute
Des excuses... mais chut !

ANTOINETTE, à part
Seule, de ce pinçon
je dois saisir le sens
Et je bénis son indécence.
Je la bénis en a-parte.
(haut)
Et maintenant, Monsieur, partez.

ANTOINETTE
Yes ... hey! But this time...

JEAN-PAUL
I know that.

ANTOINETTE
No, you don't know anything.
There are special cases,
And I know someone,
a native of the Allier,
Very close to Montluçon,
Who happens to represent
a very special case!
Yes, my lad,
And you can't understand
the importance
(Well, let's say no more)
Of that pinch.
(aside)
Let me hide my turmoil from him,
But, now, what confidence
I feel inside me!

JEAN-PAUL, aside
Ah, women! It's odd...
Whether they're from the Ille-et-Vilaine
Or the Allier,
Whether they're beautiful or ugly,
Or in easy circumstances –
or from the Ardèche,
Or down on their luck,
Or from the Allier,
They always think they're a special case,
And when they fall from grace,
They find themselves an excuse... but hush!

ANTOINETTE, aside
I alone must grasp the meaning
of that pinch,
And I bless its indecency.
I bless it in secret.
(aloud)
And now, Monsieur, go away.

[Dialogue]

JEAN-PAUL
Quand nous reverrons-nous ?

ANTOINETTE
Jamais.

JEAN-PAUL
Comment, jamais ?

[Dialogue]

JEAN-PAUL
When will we meet again?

ANTOINETTE
Never.

JEAN-PAUL
What do you mean, never?

ANTOINETTE
Mais non, jamais.

JEAN-PAUL
Je vous ai dit pourtant combien je vous aimais,
Ne repoussez pas mon amour...
Laissez-moi vous aimer...
Laissez-moi revenir !

ANTOINETTE
Eh bien ! soit, revenez, revenez dans deux jours.

JEAN-PAUL
Pas ce soir, pas demain ?

ANTOINETTE
Non, j'ai dit dans deux jours.

JEAN-PAUL
Et vous me recevrez ?

ANTOINETTE
Nous verrons ça... peut-être.

JEAN-PAUL
Oh ! que je suis heureux !

ANTOINETTE
N'en laissez rien paraître.

JEAN-PAUL
Je donnerais mon cœur
pour posséder le vôtre !
À jeudi. Je vous aime !

ANTOINETTE, *à part*
Et moi j'en aime un autre.

(Elle est sortie. Il est resté seul, se disposant à reprendre l'escalier.)

JEAN-PAUL, *seul*
Quel bonheur, quelle ivresse, elle m'a dit « peut-être » ! *(Marie-Anne est entrée.)* Elle va être à moi, j'en suis sûr, à présent... sans quoi, elle m'aurait dit non !... Or, elle a dit « peut-être » !... J'en ai la tête en feu !... Je vais m'acheter un canotier. *(Il sort.)*

MARIE-ANNE, *seule*
Elle lui a dit « peut-être »... à cet imbécile, à ce gringalet ridicule ! Faut-il, mon Dieu, qu'elle ait envie de se débarrasser de moi !... Oh ! alors, là, je n'hésite plus !... D'ailleurs, je n'hésitais pas. Et je n'hésitais pas, parce qu'il y a des intuitions, parce que le cœur ne se trompe jamais.

ANTOINETTE
I mean: never.

JEAN-PAUL
I've told you how much I love you!
Don't reject my love.
Let me love you!
Let me come back!

ANTOINETTE
Well, then, so be it! Come back, come back in two days.

JEAN-PAUL
Not tonight, not tomorrow?

ANTOINETTE
No, I said in two days.

JEAN-PAUL
And you will receive me?

ANTOINETTE
We'll see... perhaps.

JEAN-PAUL
Oh, how happy I am!

ANTOINETTE
Don't tell anyone of this.

JEAN-PAUL
I would give my heart
to possess yours!
Till Thursday, then. I love you!

ANTOINETTE, *aside*
And I love someone else.

(She leaves. Jean-Paul remains, alone, preparing to go back down the stairs.)

JEAN-PAUL, *alone*
What happiness, what intoxication: she said 'perhaps'! *(Marie-Anne enters.)* She's going to be mine, I'm sure of it now... otherwise she would have said no! But she said 'perhaps'! My spirit is on fire. I'm going to buy myself a boater. *(Exit.)*

MARIE-ANNE, *alone*
She said 'perhaps' to him... to that imbecile, that ridiculous weakling! My God, she must really want to get rid of me! Well, in that case I won't hesitate any more. In fact, I wasn't hesitating anyway. And I wasn't hesitating because there's such a thing as intuition, because the heart is never mistaken.

FÉLICIE, *entrant*
Mademoiselle, c'est Monsieur Lallumette
qui est là. Est-ce que je dois le faire entrer ?

MARIE-ANNE
Mais bien sûr.

FÉLICIE, *à la porte du fond*
Si Monsieur Lallumette veut bien se
donner la peine d'entrer...

*(Entre M. Lallumette, ami de la famille.
Grand garçon maigre, inexistant, maladif,
incolore.)*

MARIE-ANNE
Bonjour, cher Monsieur Lallumette. Voilà
bien longtemps qu'on n'avait eu le plaisir
de vous voir. Vous avez meilleure mine,
vous, bien meilleure mine. Tant mieux.
Nous, nous allons tous bien et les affaires
ont l'air de reprendre un peu. Mais asseyez-
vous donc. Quant à papa, on a dû lui dire
que vous étiez là, et je doute qu'il vous
fasse attendre. Il a tant d'amitié pour vous,
papa. Maman aussi... et moi aussi !... Tout le
monde vous aime, ici, Monsieur
Lallumette. Vous avez quelque chose de si
bon, de si doux, dans les yeux ! On voudrait
avoir un secret, tenez, pour vous le confier !
À tout à l'heure, Monsieur Lallumette.

*(Elle s'en va par l'escalier. Sur ces derniers
mots, Antoinette est entrée, et Marie-Anne
est descendue au magasin.)*

ANTOINETTE
Ah ! ce cher Lallumette ! Voilà une bonne
surprise ! Vous venez voir Prosper... bien
sûr. Eh bien ! il est sorti ! Mais je vous en
prie, asseyez-vous et attendez-le. Il ne
tardera guère. Il est allé jusqu'à la banque.
(S'asseyant elle-même) Et, ma foi,
bavardons tous les deux, en l'attendant...
Rien de nouveau, vous ? Eh ! non,
fatalement ! N'y pensez plus, allez. Oui, oh !
je sais bien que c'est facile de dire aux gens
de ne plus penser aux choses. Ils y pensent
quand même. Seulement, ils ont tort d'y
penser. On se fait du mal à ressasser tout
le temps la même chose. Et permettez-moi
de vous dire que si vous y pensiez un peu
moins, vous n'auriez pas cette mine de
déterré que vous avez... car vous avez très
mauvaise mine, mon petit Lallumette... ça,
c'est mon cœur d'amie qui vous le dit bien

FÉLICIE, *entering*
M. Lallumette is here, Mademoiselle. Shall
I let him in?

MARIE-ANNE
Of course.

FÉLICIE, *at the door towards the back of the
stage*
If M. Lallumette would care to come in...

*(Enter Hilarion Lallumette, a friend of the
family. A tall, skinny fellow, insignificant,
sickly- and dreary-looking.)*

MARIE-ANNE
Good morning, dear M. Lallumette. It's
been a long time since we had the
pleasure of seeing you. You're looking
better, much better. I'm so glad. For our
part, we're all doing well and business
seems to be picking up a little. Won't you
sit down? They must have told Papa
you're here, and I don't think he'll keep
you waiting. He likes you so much, does
Papa. So does Mama... and so do I!
Everybody is fond of you here, M.
Lallumette. You have such a kind, gentle
look in your eyes! Oh, one would like to
have a secret, in order to confide in you!
I'll see you later, M. Lallumette.

*(On her last words, Antoinette enters, while
Marie-Anne goes down to the shop.)*

ANTOINETTE
Ah, dear Lallumette! What a nice surprise!
You've come to see Prosper, of course.
Well, he's out for the moment. Please sit
down and wait for him. He won't be long.
He just went as far as the bank. *(She sits
down as well.)* I say, let's have a chat while
we wait for him... Nothing new on your
side? Well, no, inevitably. Oh, don't think
about it, come now. Yes, I know it's easy
to tell people not to think about things.
They think about them anyway. Only,
they're wrong to think about them. One
only hurts oneself brooding over the
same thing again and again. And allow me
to tell you that if you thought a little less
about it, you wouldn't have that deathly
pale look on your face ... for you look in a
very bad way, my little Lallumette ... that's
my friend's heart telling you so quite

franchement. Car vous savez quels sentiments nous avons tous ici pour vous. Vous êtes un si gentil garçon... si droit... si sûr !... Tenez, si j'avais un secret, c'est à vous que je le confierais... ainsi, vous voyez quelle estime j'ai pour vous !... Votre chagrin m'a fait tant de peine ! Et puisque nous parlons d'elle, je dois vous avouer que je n'ai pas compris Émerantine. Un homme comme vous, pour une femme comme elle, voyons, c'était le rêve !... Oui, oh ! pardi, je sais bien ce qu'elle me répondrait ! C'est entendu... seulement, moi, je lui répondrais à cela : « Vous le saviez ! » pas ?... Alors !... Vous comprenez bien que ce n'est pas au bout de cinq ans que l'on peut prétendre qu'on s'est lassé d'une chose pareille. C'est au bout d'un mois, c'est au bout de quinze jours qu'on peut dire qu'on n'en peut plus... mais au bout de cinq ans, voyons, on doit y être fait !... Pour votre état général, avez-vous essayé de la kola ? Comme remontant, c'est souverain. J'en prends huit jours par mois et ça me fait beaucoup, beaucoup de bien. Faites-en l'expérience. Et puis, il faut vous distraire, vous savez. Il le faut absolument. Est-ce que vous allez au cinéma ?... Allez-y ! Oh ! je sais bien que c'est bêbête et qu'il n'en reste rien. Mais justement, c'est ce qu'il faut. Ce qui s'adresse à l'intelligence, ça fait souvent plus de mal que de bien. Le cinéma fatigue les yeux, mais ça repose le cerveau. Ça empêche de penser, et ça, c'est excellent !

MARIE-ANNE, *apparaissant au haut de l'escalier*
Maman, je ne trouve pas les canotiers noirs. Où sont-ils ?

ANTOINETTE
Je vais te les donner.

MARIE-ANNE
Dis-moi où ils sont, maman.

ANTOINETTE
Tu ne les trouveras pas. *(à part)* Et puis, il me fatigue, ce malheureux !...

(Elle disparaît avec Marie-Anne dans l'escalier. Félicie, au fond, vient d'entrer et elle va desservir tout en parlant.)

frankly. Because you know how we all feel about you here. You're such a nice chap – so upright... so reliable!... Look, if I had a secret, I'd tell it to you... so you see how highly I think of you! Your unhappiness caused me so much pain! And since we're talking about that, I must confess I didn't understand Émerantine at all. A man like you, for a woman like her, after all, it was a dream!... Yes, of course, I know what she'd say to that! It's perfectly clear... Only, I would answer her there: 'You knew it! Didn't you?' Well, then... It's obvious that it's not after five years that you can claim you've got tired of something like that. It's after a month, after a fortnight that you say you can't take it any more... But after five years, come on, you must have got used to it!... For your general health, have you tried cola? It's an unbeatable pick-me-up. I take it for a week every month and it does me no end of good. Try it for yourself. Besides, you need to distract yourself, you know. You absolutely have to. Do you go to the cinema? Go to the cinema. I know it's silly and it doesn't leave any lasting impression. But that's just the point. Anything that addresses one's intelligence often does more harm than good. The cinema tires the eyes, but it rests the brain. It stops you from thinking, and that's an excellent thing!

MARIE-ANNE, *appearing at the top of the stairs*
Mama, I can't find the black boaters. Where are they?

ANTOINETTE
I'll get them for you.

MARIE-ANNE
Tell me where they are, Mama.

ANTOINETTE
You won't find them. *(aside)* Besides, I'm weary of this poor unfortunate!

(She disappears downstairs with Marie-Anne. Félicie has just entered at the back of the stage and clears up the breakfast things as she talks.)

FÉLICIE

Voilà les beaux jours qui reviennent... on se sent rajeuni... n'est-ce pas, Monsieur Lallumette... Dame, on n'a rien trouvé de mieux encore que le soleil pour la santé ! Quand on pense à la mauvaise mine que vous aviez ces temps-ci... vraiment, ça fait plaisir de vous voir comme vous êtes aujourd'hui. Pour moi, vous êtes transformé, c'est bien simple ! Madame a dû vous le dire !... Elle vous aime bien, Madame... D'ailleurs, qui est-ce qui ne vous aimerait pas ?... Vous êtes le genre d'homme à qui on voudrait raconter sa vie... c'est vrai... Si on osait !... Pourquoi ?... ça, je n'en sais rien. Ça doit venir des yeux... et puis aussi, un peu bien sûr... de ce que je pense... Mais je croirais bien que ce sont vos yeux qui donnent encore le plus de confiance... non... j'entends parler Monsieur... et je vous laisse.

(Elle a desservi et en s'en allant, par le fond, elle croise le Père qui rentre, porteur d'un assez volumineux paquet qu'il dépose, en entrant, dans un coin.)

PROSPER

Toi ! Ah ! ben, en voilà, une surprise, par exemple ! que je suis content de te voir ! Et la santé ? Toujours fragile. C'est une bonne chose. Les gens fragiles sont toujours ceux qui vivent le plus longtemps. Pourquoi ? Parce qu'ils se soignent. Parce qu'ils se surveillent... Parce qu'ils se ménagent ! À propos de ménage, ta femme, comment va-t-elle ?... Ah ! que je suis bête ! Excuse-moi !... Elle n'est jamais revenue, hein ?... Eh ! non, bien sûr !... C'était fatal... Bon débarras, qu'est-ce que tu veux ! Tu la regrettes ?... Un peu ?... Pas trop ? Ne la regrette donc pas !... Elle était belle, ça, il faut le dire ! C'est même pour ça qu'elle est partie. Si on veut garder sa femme pour soi, il ne faut pas la choisir trop jolie ! Faut surtout pas qu'elle soit coquette. Les coquettes, ça fait cocu. Regarde la mienne. Avec celle-là je suis tranquille. Ce n'est pas qu'elle soit vilaine, elle est même ravissante, seulement, c'est une femme sèche. Elle l'est physiquement, comme elle l'est moralement. Contrairement à la

FÉLICIE

Here's the fine season back again... We feel rejuvenated, don't we, Monsieur Lallumette? Why, they still haven't found anything better for our health than sunshine! When one thinks of how poorly you were looking lately, it's really nice to see you the way you are today. In my view, you've really changed, simple as that! Madame must have told you! She likes you, Madame. Who wouldn't like you, anyway? You're the kind of man anyone would like to tell their life story to... it's true... if we dared!... Why should that be? I don't know. It must be on account of your eyes... and also, of course, a little... of you know what I mean... But I'm pretty sure that it's your eyes that give one the greatest confidence in you... No... I hear Monsieur's voice... and I'll leave you alone.

(She has finished clearing up, and on her way out, towards the back of the stage, she meets Prosper returning, carrying a rather large package that he puts down in a corner as he enters.)

PROSPER

It's you! Well I never, this is a surprise! How happy I am to see you! How's the health? Still fragile? That's a good thing. Fragile people are always the ones who live the longest. Why is that? Because they look after themselves. Because they watch out for themselves... Because they take things easy! On that subject: your wife, how is she?... Oh, how stupid of me. I'm sorry. She never came back, then? No, of course not. It was bound to happen... Good riddance, what else can one say? Do you miss her?... A little?... Not too much? Don't miss her, then!... She was beautiful, I will say that for her! Indeed, that's why she left. If you want to keep your wife for yourself, you shouldn't choose one that's too pretty! Above all, she shouldn't be a coquette. Coquettes make for cuckolds. Look at mine. I've nothing to worry about with her. It's not that she's unsightly – she's even pretty; but she's the unfeeling type. Both physically and temperamentally. Unlike yours, who

tienne, qui semblait rechercher les hommages, la mienne les repousse. Tu me diras que ce genre de femmes-là n'est peut-être pas toujours agréable dans le commerce journalier... C'est entendu... Seulement moi je te répondrai à cela que c'est une rude compensation, la certitude que jamais personne ne se permettrait avec elle la moindre privauté. Assieds-toi mon petit coco. Oui, oh ! je sais bien que c'est toujours imprudent de dire ces choses-là... et pourtant, je le dis, je le dis, seulement, j'ajoute vite que cette sorte de tranquillité là, ça ne fait tout de même pas le bonheur... car, en somme, en y réfléchissant, on me laisse pour moi tout seul une femme assommante ! Et quand je te regarde avec ton malheureux visage inconsolé – d'ailleurs tu as très mauvaise mine. Tu devrais te soigner. Je te trouve moins bien qu'il y a deux mois ! – oui, quand je te regarde, quand je pense à toi, je me prends à me demander s'il ne vaut pas mieux être périodiquement cocu par des femmes qui vous plaisent que de passer toute sa vie avec une femme fidèle, mais acariâtre... car, et je ne te dis pas ça pour te consoler, je ne suis pas le plus heureux des hommes... va... loin de là ! Ma fille a le même caractère que ma femme... et je pense que ma bonne est avec elles deux, contre moi ! Oui, mon cher vieux, j'ai trois ennemies dans ma maison. Je ne te dis pas qu'elles me détestent, assurément, mais c'est bien pire ! Elles ont pour moi ce sentiment très singulier qui va de la haine la plus évidente à la tendresse la plus sincère, sentiment qu'on ne rencontre guère que dans les familles unies. Et, pour tout te dire, en un mot, je m'embête comme un rat crevé derrière une malle ! Il y a le café, tu me diras... Évidemment. Aussi, j'y vais de onze heures à midi, et de cinq à sept heures. Mais le café, pendant trois heures tous les jours, depuis vingt ans, c'est monotone. Tu me diras : le cinéma... Faut s'en méfier, c'est dangereux – ça fait penser !... C'est sûr... mais, sans vouloir te critiquer, personnellement je n'en suis pas fou !... Prendre une maîtresse... c'est compliqué. L'entretenir, c'est bien coûteux. Et puis, je crois qu'on doit en prendre vite le pli... et

seemed to look for compliments, mine repels them. You'll say that a woman like that may perhaps not always be pleasant in everyday life... I'll grant you that... Only my answer to that is that it's a tremendous compensation to be sure that nobody would ever allow himself to take the slightest liberty with her. Sit down, old chum. Yes, oh, I know it's always unwise to say such things... and yet I say it, I do, though I must add at once that that sort of tranquillity doesn't make for happiness... because, in sum, when you think about it, I'm left with a tedious woman all to myself! And when I look at you with your unhappy, inconsolable face (and you look very bad, by the way, very bad. You should take care of yourself. You don't look as good as you did two months ago!)... yes, when I look at you, when I think of you, I find myself wondering whether it isn't better to be cuckolded from time to time by women you like than to spend your whole life with a faithful but sour-tempered wife... Because, and I'm not telling you this to console you, I am not the happiest of men... oh no... far from it! My daughter has the same character as my wife... and I think my maid is in league with the two of them against me! Yes, my dear old fellow, I have three enemies in my house. I'm not saying they detest me, to be sure, but it's much worse than that! They have that very peculiar sentiment for me which ranges from the most open hatred to the most sincere tenderness, a sentiment one scarcely encounters except in tight-knit families. And, to tell you the truth in a nutshell, I'm as bored as a dead rat behind a trunk! There's the café, you'll tell me... Yes, of course. So I go there from eleven to twelve, and from five to seven. But a café, three hours every day for twenty years, is pretty monotonous. You'll tell me: there's the cinema... But you have to be careful there, it's dangerous. It makes you think!... Of course... but, though I don't intend to criticise you if you go there yourself, personally I'm not wild about it!... As to taking a mistress ... it's a complicated business. They're very expensive to keep up. And then, I think you must quickly get into the habit... and

que c'est un mauvais pli à prendre. Ou bien on garde la même et l'on se crée ainsi bien des obligations et ça finit par se savoir... ou bien alors on en change tout le temps... et ça complique horriblement la vie. Quand on se sépare d'une maîtresse, c'est qu'on a choisi la suivante... alors, à ce moment-là, tu as sur les bras, ta femme, la maîtresse que tu quittes et celle que tu prends... Trois, tu comprends, c'est effrayant !... avec la crainte que la première apprenne par la seconde l'existence de la troisième... Oh ! je sais bien que des hommes se tirent admirablement de ces situations-là... mais moi, je ne suis pas organisé... alors, pour me distraire, sais-tu ce que j'ai fait ?... Je vais te le dire, parce que tu n'es pas de ces terribles bavards auxquels on n'ose jamais rien confier. Figure-toi qu'il y a une dizaine de jours, j'étais chez le dentiste et j'attendais mon tour... Les dentistes vous font toujours attendre une vingtaine de minutes pour qu'on finisse sans doute par être impatient de se faire charcuter. Pour occuper mon temps, je choisis parmi vingt illustrés qui traînaient sur la table, un de ces hebdomadaires, dont les dernières pages sont consacrées à ce qu'ils appellent « La Petite Correspondance ». Je ne m'étais jamais attardé à ce genre de littérature... et figure-toi que je me suis amusé comme un fou à déchiffrer tous ces grands mots pleins de promesse... et d'illusion... et que l'on met en abrégé pour que ça ne dépasse pas trois lignes !... Deux heures plus tard, seul au café toutes ces annonces me trottaient par la tête. Alors, sais-tu ce que j'ai fait ? J'ai demandé de quoi écrire et j'ai rédigé moi-même une annonce que j'ai adressée à ce journal. Elle a paru dans le numéro d'avant-hier... et je vais te la montrer... *(Il se lève et va chercher dans le fond des tiroirs du meuble qui se trouve à gauche, au 3ᵉ plan.)* Allons bon... Il n'y est plus !... J'ai horreur de ça !... *(Il sonne.)* Qu'est-ce que ça signifie d'aller fouiller dans les tiroirs et de déplacer les choses que je range ?...

(Félicie entre.)

FÉLICIE
Monsieur a sonné ?

it's a bad habit to get into. Either you keep the same one and you create all sorts of obligations, and people end up finding out... or you change all the time... and that complicates life terribly. When you get rid of a mistress, it's because you've chosen the next one... so, at that moment, you have on your hands your wife, the mistress you're leaving and the one you're taking... Three, you understand, it's frightening!... With the constant fear that the first will learn from the second the existence of the third... Oh, I'm well aware that some men can manage that admirably, but I'm not the organised type... So, to divert myself, do you know what I've done? I'll tell you, because you're not one of those terrible gossips one never dares to confide in. You see, about ten days ago I was at the dentist's and waiting for my turn... Dentists always make you wait about twenty minutes, doubtless so that you end up impatient to be butchered. To while away the time, I chose, from among a couple of dozen illustrated papers that were lying on the table, one of those weekly magazines whose last pages are devoted to what they call the 'personal ads'. I'd never paid any heed to that sort of literature before... and you can imagine that I had a hugely amusing time deciphering all those big words full of promise – and illusion – which are abbreviated so that they don't exceed three lines! Two hours later, alone in the café, all those ads were running through my head. So, do you know what I did? I asked for writing materials and I wrote an ad myself, then sent it to the magazine. It appeared in the number that came out the day before yesterday... and I'll show it to you now... *(He gets up and looks in the drawers of the desk situated upstage left.)* Oh, for goodness' sake! It's not there! I hate that! *(He rings.)* What's the meaning of rummaging in the drawers and moving the things I've put away in there?

(Enter Félicie.)

FÉLICIE
You rang, Monsieur?

PROSPER
Pourquoi avez-vous pris dans ce tiroir le journal que j'y avais mis... et qu'est-ce que vous en avez fait ?

FÉLICIE
Je n'ai pas l'habitude de fouiller dans les tiroirs, Monsieur. Quel est le journal que Monsieur cherche ?

PROSPER
Un journal illustré dans lequel il y a... un article de Politique Étrangère qui m'intéresse, et que je désire conserver.

FÉLICIE
Est-ce qu'il n'y a pas la photographie de Paul-Boncour sur la couverture ?

PROSPER
Non... il y a une négresse... toute nue...

FÉLICIE
Ah ! la négresse ! Ben, je l'ai trouvé, hier au soir, sous un coussin du canapé, dans le salon...

PROSPER
Qu'est-ce qu'il faisait là ?

FÉLICIE
Mais je n'en sais rien, Monsieur.

PROSPER
Et vous l'avez jeté ?

FÉLICIE
Mais non, Monsieur, je l'ai rangé soigneusement dans la petite bibliothèque... Derrière les livres rouges...

PROSPER
Là ?

FÉLICIE
Oui, Monsieur.

PROSPER
Eh ben ! donnez-le moi.

FÉLICIE
Tout de suite, Monsieur. *(Elle y va.)* Il n'y est plus !...

PROSPER
Comment, il n'y est plus ?

FÉLICIE
Non, Monsieur.

PROSPER
Why did you take the magazine I put in that drawer? And what did you do with it?

FÉLICIE
I'm not in the habit of rummaging through drawers, Monsieur. What's the magazine Monsieur is looking for?

PROSPER
An illustrated magazine that contains... an article on foreign policy that interests me, and which I want to keep.

FÉLICIE
Isn't there a photograph of Paul-Boncour on the cover?

PROSPER
No... there's a Negress... quite naked...

FÉLICIE
Ah! The Negress! I found it last night under a cushion in the living room...

PROSPER
What was it doing there?

FÉLICIE
I've no idea, Monsieur.

PROSPER
And you threw it away?

FÉLICIE
No, Monsieur, I put it away carefully it in the little bookcase... behind the red books...

PROSPER
There?

FÉLICIE
Yes, Monsieur.

PROSPER
Well, give it to me.

FÉLICIE
At once, Monsieur. *(She goes over to the bookcase.)* It's not there any more!

PROSPER
What? It's not there any more?

FÉLICIE
No, Monsieur.

PROSPER
Vous vous fichez de moi ?

FÉLICIE
Mais pas du tout, Monsieur…

LE GARÇON DE MAGASIN, *apparaissant au haut de l'escalier*
Monsieur ?

PROSPER
Qu'est-ce qu'il y a ?

LE GARÇON
Il y a que ce chapeau qui est défraîchi va très bien à un client et il demande qu'on le lui laisse pour quarante francs.

PROSPER
Montrez-le moi.

LE GARÇON
Voilà, Monsieur…

PROSPER, *examinant le chapeau*
Oui… Il est marqué combien ?

LE GARÇON
Trente francs, Monsieur.

PROSPER
Trente francs ?

LE GARÇON
Oui… il a pris le 3 pour un 5…

PROSPER
Laissez-le lui pour quarante. Qu'est-ce qui sort de votre poche, là ?

LE GARÇON
C'est un vieux journal.

PROSPER
Montrez-le moi… *(Il le lui donne.)* Le voilà !… Où l'avez-vous trouvé ?

LE GARÇON
Dans le tiroir-caisse, Monsieur… Comme il traînait… je me suis permis…

PROSPER
Vous avez eu tort, ce journal est à moi, je le garde.

LE GARÇON
Pardonnez-moi, Monsieur. Oh ! ma belle négresse.

FÉLICIE
Monsieur voit !

PROSPER
Are you having me on?

FÉLICIE
Not at all, Monsieur…

THE SHOP ASSISTANT, *appearing at the top of the stairs*
Monsieur?

PROSPER
What is it?

THE SHOP ASSISTANT
This shop-soiled hat fits a customer very well and he's asking if we'll let him have it for forty francs.

PROSPER
Show it to me.

THE SHOP ASSISTANT
Here you are, Monsieur.

PROSPER, *examining the hat*
Yes… What's the marked price?

THE SHOP ASSISTANT
Thirty francs, Monsieur.

PROSPER
Thirty francs?

THE SHOP ASSISTANT
Yes – he took the 3 for a 5…

PROSPER
Let him have it for forty. What's sticking out of your pocket there?

THE SHOP ASSISTANT
It's an old magazine.

PROSPER
Show it to me… *(The Shop Assistant hands it to him.)* Here it is! Where did you find it?

THE SHOP ASSISTANT
In the cash drawer, Monsieur… As it was lying around, I took the liberty…

PROSPER
You were mistaken: this magazine is mine, and I'm keeping it.

THE SHOP ASSISTANT
Pardon me, Monsieur. Oh, my beautiful Negress!

FÉLICIE
You see, Monsieur?

PROSPER
Je vois quoi ? *(Le Garçon de magasin s'en va.)* Laissez-nous !

FÉLICIE
Et pas un mot d'excuse.

(Félicie sort.)

PROSPER
La voilà, mon annonce : «Mons. célib. et rich. » C'est-à-dire «Monsieur célibatarire et riche...» « cherche âme sœur... » Elle n'est pas d'une grande originalité... seulement, j'ai eu la bonne idée de choisir, comme poste restante, le bureau du quartier le plus élégant de Paris. Un bureau dont j'ai remarqué que personne ne se servait. Et ce n'était pas une idée bête. Je me disais : « J'irai mercredi, et peut-être trouverai-je cinq ou six lettres aux initiales indiquées. » Eh bien ! mon vieux, ce n'est pas cinq ou six lettres, que j'ai trouvées, ce n'est pas dix, ce n'est pas vingt... *(Il s'est levé et il est allé chercher le paquet enveloppé d'un journal qu'il avait caché en rentrant.)* Regarde-moi ça ! C'est cent-trente-et-une lettres qu'on vient de me remettre à la poste restante !... Oui, mon ami, cent-trente-et-une !... Je n'en croyais pas mes yeux !... Tu penses si je vais m'amuser à lire tout ça. Il doit y avoir de tout là-dedans, des imbéciles, des illettrées, des idiotes, des hystériques... oui, mais peut-être aussi des incomprises, de ces pauvres petites créatures sentimentales qui, elles réellement, cherchent une âme sœur. Je vais peut-être découvrir parmi toutes ces malheureuses un petit être que je ne verrai jamais, exprès... et avec lequel j'entretiendrai... enfin, je me comprends... *(Il a commencé à étaler devant lui toutes ces enveloppes cachetées encore.)* Regarde-moi ces écritures, comme elles parlent... Elles ont beau se déguiser, comme on les sent toutes anxieuses... Ça, c'est une folle... si ça t'amuse, tiens... *(Il passe la lettre à son ami.)* et, d'ailleurs, prends-en donc quelques-unes... je m'en vais

PROSPER
What do I see? *(Exit Shop Assistant.)* Leave us alone!

FÉLICIE
And not a word of apology.

(Exit Félicie.)

PROSPER
Here's my ad: 'Sing. gent., comf. circ....' (that means, 'Single gentleman in comfortable circumstances') '... seeks soul mate...' It's not very original... but I came up with the excellent idea of choosing, as my Poste Restante, the post office of the most elegant district in Paris. A post office that I noticed no one else was using. And it wasn't a stupid idea. I said to myself: 'I'll go on Wednesday, and maybe I'll find five or six letters for the initials I gave.' Well, old chap, it wasn't five or six letters I found, it wasn't ten, it wasn't twenty... *(He gets up and goes to fetch the package wrapped in a newspaper that he hid when he got home earlier.)* Look at this! It's a hundred and thirty-one letters that I've just been given at the post office! Yes, my friend, one hundred and thirty-one! I couldn't believe my eyes! Just think how I'm going to enjoy reading all this. There must be all kinds of women in there, fools, illiterates, idiots, hysterics... Yes, but perhaps also misunderstood women, those poor little sentimental creatures who really are looking for a soul mate... Perhaps I'll find among all those unhappy women a little being whom I'll never see, quite deliberately... but with whom I'll maintain... well, you see what I mean... *(He begins to spread all the envelopes out in front of him, still sealed.)* Look at those hands, how eloquent they are... They may try to disguise their handwriting, but one senses how anxious they all are... That one's a wild girl... take it, if you fancy her... *(He hands the letter to Lallumette.)* In fact, take a few of them... I'll pick them out for you now... A countess! Well, well. An amusing letter... in a distinguished hand... *(Lallumette holds out his hand.)* No, I'll keep this one... *(He puts it in his pocket and picks up another one.)* Ah! What? No... I must be seeing things... I can't believe it! And yet... Let's

te les choisir. Une comtesse !... Tiens, tiens, tiens. Lettre amusante... dont l'écriture est distinguée... *(L'ami tend la main.)* Non, celle-là je la garde... *(Il la met dans sa poche. Il en prend une autre.)* Ah ! Ça, mais... non... j'ai la berlue... C'est à ne pas croire !... Et pourtant... Voyons, voyons, voyons... *(Il examine l'enveloppe, va au bureau, prend une enveloppe dans le casier à papier et il les compare.)* Ce n'est pas douteux !... Ah ! par exemple !... Son écriture est déguisée... mais tous les cinq ou six mots, le masque tombe... et je le reconnais !... D'ailleurs, voilà une phrase significative !... Ah ! c'est d'elle, sûrement, c'est d'elle ! *(à l'ami)* Si tu savais ce qui m'arrive !... *(L'ami a décacheté une lettre et il la lit.)* Cré nom d'un chien !... donne-moi ça tout de suite !... Ah ! ben, ça alors, c'est encore plus violent !... La même enveloppe... le même papier... *(Il lit la lettre qu'il vient d'arracher des mains de son ami.)* Sacré tonnerre !... Ah ! la gredine !... *(à son ami)* Eh bien ! mon vieux, j'en apprends de belles ! Tiens, prends tout ça... je te donne le tout. *(Il refait le paquet de lettres qu'il avait éparpillées sur la table et les remet à son ami.)* Et fiche-moi le camp, tu seras gentil ! J'ai besoin d'être seul. Merci de ta gentille visite. À un de ces jours... J'ai été enchanté de bavarder un peu avec toi. Au revoir, mon vieux, porte-toi bien. *(Il a poussé son ami vers la porte du fond et le voilà seul à présent.)* Ah ! les gredines !... Elles vont voir. *(Il a ressorti de sa poche les deux lettres qu'il y avait mises. Il les lit à voix basse, ne cessant de pousser des « Oh » choqués.)* Les misérables !... Il faut que ma vengeance soit éclatante ! Primo, pour me venger, j'ai ça... j'ai la comtesse... *(Il sort de sa poche de gauche la première lettre qu'il avait mise de côté.)* Mais je dois les punir avant de me venger. *(Il sort de sa poche gauche les deux lettres qu'il y avait placées. Il les parcourt. L'orchestre joue. Il chante.)*

see, let's see... *(He examines the envelope, goes to the desk, takes an envelope from the pigeonhole and compares them.)* There's no doubt about it!... Well, blow me down with a feather! Her handwriting is disguised... but every five or six words, the mask falls... and I recognise it! What's more, that's a significant phrase. It's from her, it must be, it's from her! *(to Lallumette)* If you knew what's happening to me... *(Lallumette has unsealed a letter and is reading it.)* For crying out loud! Give me that right now!... Well, that's even more of a shock. The same envelope... the same paper... *(He reads the letter he just seized from his friend's hand.)* By thunder!... Ah, the minx! *(to Lallumette)* Well, old chap, I'm learning a thing or two today! Here, take all of this... I'll give you the lot. *(He assembles the packet of letters he had scattered on the table and gives them to Lallumette.)* And be off with you now, there's a good fellow! I need to be alone. Thanks for your kind visit. I'll see you again some time... I've enjoyed chatting with you. Cheerio, old chap, take care. *(He has pushed his friend towards the upstage door and now he is alone.)* Ah, the minxes!... They'll see. *(He takes out the two letters he put in his pocket and reads them under his breath, constantly uttering shocked cries of 'Oh!')* The wretches!... My vengeance must be shattering! First of all, to obtain my revenge, I have this... I have the Countess... *(He takes out of his left pocket the first letter he put aside.)* But I must punish them before I get my revenge. *(He takes the other two letters out of his left pocket again and skims through them once more. The orchestra starts playing. He sings.)*

(Nº 5 – Air)   *(No. 5 – Air)*

06 PROSPER   PROSPER

« Je suis celle que vous cherchez,   'I am the lady you're looking for,
Je le dis sans prétention...   I say it with the greatest simplicity...
Mon âme voulait s'épancher,   My soul needed to unburden itself,
Vous m'en donnez l'occasion... »   You give me the opportunity...'

Et c'est ma femme qui m'écrit ça !   And it's my wife who writes that to me!
Et l'autre lettre est de ma fille !   And the other letter is from my daughter!
Ça, c'est un drame de famille   This is a real family drama
Ou bien, je ne m'y connais pas !   Or I'm a Dutchman!

Est-ce le père   Is it the father
Ou le mari   Or the husband
Que cette affaire   Who is
Contrarie   The more vexed
Le plus ?   By this business?

Ah ! Je m'en veux   Ah! I hate
De cet aveu !   To admit it,
Mais je crois bien en vérité   But I do believe
Que le plus embêté   That the more annoyed
Des deux   Of the two
C'est le cocu !   Is the cuckold!

Et dans le fond   And, when you come down to it,
c'est naturel :   it's only natural:
Ma fille fait un' folie   My daughter's having a fling.
Mais aucun serment ne la lie   But she has no vows to bind her,
Tandis que l'autre est infidèle !   Whereas the other one is unfaithful!

« Ce qui me pousse ainsi vers vous,   'What thus impels me towards you,
Cher inconnu, c'est le destin ;   Dear stranger, is fate;
Il est bien normal, après tout,   It is only normal, after all,
Que l'on se fie à son instinct ! »   To trust one's instinct!'

Ah ! Les deux folles que voilà,   Ah! Those two besotted women;
Je devrais dire « les deux garces » !   I should say 'those two hussies'!
Mais je vais leur faire une farce   But I'm going to play a prank on them,
Qui, je pense, les guérira !   Which I think will cure them!
Et commençons par celle-ci...   And let's start with this one...
(écrivant) Abominable créature...   *(writing)* Abominable creature...

Car enfin, n'est-ce pas...	For, I mean to say...
Faut-il qu'elles soient imprudentes	They really must be imprudent
De n'avoir même pas pensé	Not even to have thought
Qu'en allant à la Post' Restante,	That on the way to the Poste Restante,
Ell's risquaient de se fair' pincer !	They might get caught!
Faut-il qu'elles soient insensées	They really must be out of their minds...
Faut-il qu'elles soient indécentes !	They really must be indecent!
Conduite infâme et scandaleuse	Their disgraceful, outrageous conduct
Qui vient les mettre à ma merci...	Places them at my mercy...
Quelle chance miraculeuse	What a miraculous piece of luck
Que leurs lettres tombent ici !	That their letters should turn up here!
Plus effrontées qu'audacieuses	They're more brazen than bold
Pour épancher leur cœur ainsi	To pour out their hearts this way;
Faut-il qu'elles soient vicieuses...	They really must be depraved...
Mais tout à coup j'y pense aussi...	But all of a sudden it occurs to me...
Pour épancher leur cœur ainsi...	If they do pour out their hearts this way...
(Il déchire sa lettre commencée.)	*(He tears up the letter he has started.)*
Faut-il qu'elles soient malheureuses !...	They really must be unhappy!

Première page de la réduction pour voix et piano.
Éditions Salabert.

First page of the vocal score.
Éditions Salabert.

Acte deuxième

Premier tableau

07 *ENTRACTE*

08 *LEVER DE RIDEAU*

(N° 6 – STROPHES)

09 ANTOINETTE

C'est très vilain d'être infidèle,
C'est infâme et c'est révoltant...
Voilà la chose sur laquelle
On est d'accord depuis longtemps,
Bien entendu.
D'ailleurs, c'est plus que révoltant,
C'est défendu...
C'est bien pour ça que c'est tentant !

Ah ! pauvres femmes que nous sommes...
Bien plus à plaindre qu'à blâmer...
Toujours à la merci des hommes,
Nous ne désirons qu'être aimées ;
Et c'est ce qui
Parfois nous fait tomber
Sur Dieu sait qui,
Mais c'est pour ça que c'est exquis !

Les conséquences de la chose :
Chagrins, remords, honte et douleur...
Auxquels l'infidèle
s'expose
Ah ! nous le connaissons par cœur
Et nous savons
Ce que bien souvent nous perdons
Quand nous tombons...
Mais c'est pour ça que c'est si bon !

Combien de femmes à ma place,
Courageuses, ont résisté...
Mais qui, plus tard, trop tard, hélas !
Cruellement, l'ont regretté !

Act Two

First Tableau

ENTR'ACTE

CURTAIN MUSIC

(NO. 6 – STROPHES)

ANTOINETTE

It's very naughty to be unfaithful,
It's despicable and it's revolting...
That's a point on which
Everyone has long agreed,
Of course they have.
Indeed, it's more than revolting,
It's forbidden...
Which is exactly why it's tempting!

Ah, poor women that we are!
Much more to be pitied than blamed,
Always at men's mercy,
All we want is to be loved;
And that's what
Sometimes gets us involved
With God knows who:
But that's why it's exquisite!

The consequences of the deed
– Sorrow, remorse, shame and pain –
To which the unfaithful woman
exposes herself,
Ah, we know all that off by heart,
And we know
What all too often we lose
When we fall from grace...
But that's why it's so delicious!

How many women in my position
Have bravely resisted...
But later, too late, alas!
Have cruelly regretted doing so!

Car les saisons, ça passe, passe
Et rien ne peut les arrêter.
Et c'est en vain qu'on crie : Hélas !
L'automne vient après l'été.

Moi je ne veux pas vous connaître,
Pleurs superflus et vains regrets...
Je ne veux pas un jour, peut-être, me dire
« Pourquoi ne l'ai-je pas fait ? »
Ce serait trop bête, en effet...
Et c'est pour ça que je le fais !

*(Après le chant, le Garçon de magasin qui
était caché derrière le comptoir se relève et
applaudit.)*

[Dialogue]

ANTOINETTE
Je reviens dans une seconde. *(Elle sort.)*

(Descendant par l'escalier, paraît Prosper.)

PROSPER
Madame n'est pas là ?

LE GARÇON DE MAGASIN
Elle est sortie, Monsieur.

PROSPER
Déjà !

LE GARÇON
Madame n'a fait que traverser le magasin...
Elle paraissait en bonne santé, et elle m'a
semblé d'excellente humeur...

PROSPER
Je ne vous demande pas de ses nouvelles,
je vous demande où elle est.

LE GARÇON
Je voudrais bien le savoir moi-même.

PROSPER
Pourquoi ?

LE GARÇON
Pour vous le dire, Monsieur. Mais si
j'ignore où elle est allée... du moins puis-je
vous dire quand elle reviendra. Car, en
sortant, très vite, elle m'a jeté ces mots :
« Je reviens dans une seconde ! » Et
comme il y a de cela une minute, je

For the seasons flit past,
And nothing can stop them.
And in vain we cry: 'Alas!'
Autumn comes after summer.

I don't want to know you,
Futile tears and vain regrets...
I don't want one day, perhaps, to ask myself:
'Why didn't I do it?'
That really would be just too silly...
And that's why I *am* doing it!

*(After the song, the Shop Assistant, who was
hiding behind the counter, gets up and
applauds.)*

[Dialogue]

ANTOINETTE
I'll be back in a second. *(Exit.)*

(Enter Prosper, coming down the stairs.)

PROSPER
Isn't Madame here?

THE SHOP ASSISTANT
She's gone out, Monsieur.

PROSPER
Already!

THE SHOP ASSISTANT
Madame merely walked through the
shop... She seemed healthy, and in
excellent spirits...

PROSPER
I'm not asking you *how* she is, I'm asking
where she is.

THE SHOP ASSISTANT
I'd like to know that myself.

PROSPER
Why?

THE SHOP ASSISTANT
So that I could tell you, Monsieur. But
although I don't know where she went, at
least I can tell you when she'll be back.
For, on her way out, very quickly, she said
these words to me over her shoulder: 'I'll
be back in a second! 'And as that was a

pense qu'elle sera là dans un quart d'heure !

PROSPER
Eh bien ! profitons-en. Donnez-moi le Bottin des Départements.

LE GARÇON
Tout de suite, Monsieur.

PROSPER, *le feuilletant*
Merci. Ain...

LE GARÇON
Deux.

PROSPER
Mais non.

LE GARÇON
Mais si.

PROSPER
Mais non... Ain... Allier... Ardennes... Aube...

LE GARÇON
Ah, je croyais qu'y comptait.

PROSPER
Basses-Pyrénées... voilà... Biarritz... Voilà mon affaire... 11... 14... *(Il a décroché le récepteur de son téléphone.)* Allo, l'Inter ? *(Il regarde l'heure à sa montre.)* Tout de même, elle aurait dû me prévenir qu'elle sortait...

LE GARÇON
Madame a pensé qu'en me prévenant, peut-être...

PROSPER
Vous et moi, ça fait deux.

LE GARÇON
Ça fait même trois, Monsieur... puisqu'on dit qu'un homme prévenu en vaut deux. *(Il est enchanté de la plaisanterie qu'il vient de faire.)*

PROSPER
Allo, l'Inter ?

LE GARÇON
Personne ne rit jamais des plaisanteries que je fais.

PROSPER
Et s'il vient des clients !

minute ago, I think she'll be here in a quarter of an hour!

PROSPER
Well! Let's take advantage of her absence. Give me the telephone directory classified by departments.

THE SHOP ASSISTANT
Right away, Monsieur.

PROSPER, *leafing through it*
Thank you. Ain...

THE SHOP ASSISTANT
Two.

PROSPER
No.

THE SHOP ASSISTANT
Yes!

PROSPER
No... Ain... Allier... Ardennes... Aube...

THE SHOP ASSISTANT
(Ah, I thought he was counting – 'un, deux...'.)

PROSPER
Basses-Pyrénées... here we are... Biarritz... Here's what I'm looking for... 11... 14... *(He picks up the receiver on his telephone.)* Hello, Long Distance? *(He looks at the time on his watch.)* All the same, she should have told me she was going out...

THE SHOP ASSISTANT
Perhaps Madame thought that by warning me...

PROSPER
You and me, that still makes two.

THE SHOP ASSISTANT
It even makes three, Monsieur... since they say a man who's been forewarned is worth two others. *(He is delighted with the joke he has just made.)*

PROSPER
Hello, Long Distance?

THE SHOP ASSISTANT
No one ever laughs at my jokes.

PROSPER
What if customers should come?

LE GARÇON
Est-ce que Monsieur n'est pas là ?

PROSPER
Mais c'est que, justement, j'ai une course à faire.

LE GARÇON
J'appellerai Mademoiselle.

PROSPER
Mademoiselle est occupée. Elle fait son courrier.

LE GARÇON
J'appellerai la bonne.

PROSPER
Elle ne peut pas tout faire ! D'ailleurs, elle n'est bonne à rien.

LE GARÇON
Dame, une bonne à tout faire !

PROSPER
Allo, l'Inter ?... Donnez-moi, je vous prie, le 11.14 à Biarritz ! Mon numéro à moi ? Gutenberg 63-41. Combien ?... Une demi-heure d'attente ?... Merci, Mademoiselle. *(Il raccroche le récepteur.)* Une demi-heure d'attente pour avoir Biarritz !

LE GARÇON
Plus de 700 kms, Monsieur...

PROSPER
On ne devrait jamais attendre plus de cinq minutes, voyons ! Quelle administration ! Comment vais-je faire, moi ?

LE GARÇON
Mais que Monsieur fasse donc sa course. S'il vient des clientes, je les recevrai moi-même.

PROSPER
Vous ?

LE GARÇON
Mais depuis huit jours, Monsieur, c'est moi qui m'occupe de tout, ici. Monsieur ne se rend pas compte que, depuis le début de la semaine, on me laisse très souvent tout seul...

PROSPER
Oui, oh ! mais tout ça va changer.

THE SHOP ASSISTANT
But isn't Monsieur here?

PROSPER
But that's the thing, I have an errand to run.

THE SHOP ASSISTANT
I'll call Mademoiselle, then.

PROSPER
Mademoiselle is busy. She's doing her correspondence.

THE SHOP ASSISTANT
I'll call the maid.

PROSPER
She's no maid of all trades! Indeed, she's mistress of none.

THE SHOP ASSISTANT
Oh, I get it! A maid of all trades!

PROSPER
Hello, Long Distance?... Can you get me the 11.14 in Biarritz, please? My number? Gutenberg 63-41. How long? Half an hour's wait?... Thank you, Mademoiselle. *(He hangs up.)* Half an hour to get through to Biarritz!

THE SHOP ASSISTANT
It's more than seven hundred kilometres, Monsieur...

PROSPER
One should never have to wait more than five minutes, for goodness' sake! What terrible management! What am I to do now?

THE SHOP ASSISTANT
But Monsieur can go on his errand. If any customers come, I'll serve them myself.

PROSPER
You?

THE SHOP ASSISTANT
But for the past week, Monsieur, I've been doing everything here. Perhaps Monsieur doesn't realise that, since the beginning of the week, I've often been left alone...

PROSPER
Oh yes? But that's all going to change now.

(La porte s'ouvre et Jean-Paul paraît.)

LE GARÇON
Le voilà encore, celui-là !

JEAN-PAUL
Est-ce que... *(à part)* Le mari...

(Il ne s'attendait pas à trouver Prosper dans le magasin.)

PROSPER
Qu'est-ce que vous désirez, Monsieur ?

JEAN-PAUL, *troublé*
Rien ! Je... je... je voudrais... un petit chapeau melon... qui ne m'aille pas trop mal !

PROSPER
Un petit melon ?... Permettez... *(Il lui prend son chapeau noir pour en avoir la pointure.)* Sept et quart. Bon. *(Il va chercher le chapeau melon demandé.)* Voilà un sept et quart qui vous ira, je pense.

(Jean-Paul l'essaie.)

JEAN-PAUL
Il ne me va pas mal...

PROSPER
Quelles sont vos initiales, Monsieur ?

JEAN-PAUL
Je n'en ai pas.

PROSPER
Comment, vous n'en avez pas ?

JEAN-PAUL
Non, je veux dire : « Je n'en veux pas ». Enveloppez celui-ci. C'est combien ?

PROSPER
Cent cinquante francs.

JEAN-PAUL
Les voici.

PROSPER, *au Garçon de magasin*
Enveloppez celui-ci. *(Il parle du chapeau que Jean-Paul avait en entrant. Jean-Paul a payé son chapeau.)* Merci, Monsieur.

JEAN-PAUL
C'est moi qui vous remercie, Monsieur. À tout à l'heure ! *(Il sort.)*

PROSPER
À tout à l'heure ?

(The door opens and Jean-Paul appears.)

THE SHOP ASSISTANT
Here he is again!

JEAN-PAUL
Is... *(aside)* The husband!

(He didn't expect to find Prosper in the shop.)

PROSPER
What would you like, Monsieur?

JEAN-PAUL, *flustered*
Nothing! I... I... I'd like... a little bowler hat... that doesn't look too bad on me!

PROSPER
A little bowler? Allow me... *(He takes Jean-Paul's black hat to check his size.)* Seven and a quarter. Very well. *(He goes to get the bowler hat he asked for.)* Here's a seven and a quarter that'll fit you, I think.

(Jean-Paul tries it on.)

JEAN-PAUL
It doesn't look bad on me...

PROSPER
What are your initials, Monsieur?

JEAN-PAUL
I don't have any.

PROSPER
I beg your pardon? You don't have any?

JEAN-PAUL
No, I mean, I don't want my initials marked inside. Just wrap this one up. How much is it?

PROSPER
One hundred and fifty francs.

JEAN-PAUL
Here you are.

PROSPER, *to the Shop Assistant*
Wrap this up. *(He means the hat that Jean-Paul was wearing when he came in. Jean-Paul pays for his new hat.)* Thank you, Monsieur.

JEAN-PAUL
Thank *you*, Monsieur. I'll see you later! *(Exit.)*

PROSPER
'I'll see you later'?

LE GARÇON
Ça fait le deuxième depuis ce matin.

PROSPER
Le deuxième client ?

LE GARÇON
Non, le premier client... mais le deuxième chapeau. Oui, c'est le deuxième sapeau qu'il s'acète aujourd'hui.

PROSPER
Comment dites-vous ça ?

LE GARÇON
Que Monsieur essaie donc de le dire !

PROSPER
Tiens !... Ça prouve qu'il a été content du premier !

LE GARÇON
Pour moi, c'est plutôt un garçon qui n'a pas de tête et qui achète plusieurs fois la même chose, distraitement...

PROSPER
Ou bien c'est peut-être un collectionneur. En tous cas, moi, je file. Quand Madame rentrera, vous lui direz que je suis sorti.

LE GARÇON
Je le dirai d'autant mieux, Monsieur, que ce sera l'exacte vérité. (Sonnerie du téléphone. Prosper décroche l'appareil.)

PROSPER
Allo ?... Oui. Allons, bon ! J'ai Biarritz ! Elles vous disent une demi-heure et elles vous le donnent au bout de cinq minutes ! Allo... ? (au Garçon de magasin) Allez donc vous promener dans le passage.

LE GARÇON
Monsieur est bien gentil, mais je suis très bien là.

PROSPER
Non, non... Je vous demande d'y aller...

LE GARÇON
Ah ! bon, Monsieur, pardon. Je n'avais pas compris. (Il sort.)

PROSPER, seul
Allo... ? L'Agence de location de Biarritz ?... Monsieur, je voudrais louer, pour la durée des vacances de Pâques... une petite villa

THE SHOP ASSISTANT
That's the second one since this morning.

PROSPER
The second customer?

THE SHOP ASSISTANT
No, the first customer... but the second hat. Yes, zat's ze second 'at 'e's 'ad today.

PROSPER
Why are you saying it like that?

THE SHOP ASSISTANT
It's a tongue-twister – just try to say it fast, Monsieur!

PROSPER
Well, that proves he was happy with the first one!

THE SHOP ASSISTANT
I'd say it's more likely he's a chap with no memory, who buys the same thing several times, distractedly...

PROSPER
Or maybe he's a collector. Either way, I'm off now. When Madame comes back, you can tell her I've gone out.

THE SHOP ASSISTANT
I'll say it all the more gladly, Monsieur, because it will be the exact truth. (The phone rings. Prosper picks up it up.)

PROSPER
Hello? Yes. Oh, all right! I've got Biarritz! They tell you half an hour and then they give you the line five minutes later! Hello? (to the Shop Assistant) Why don't you go for a walk in the corridor?

THE SHOP ASSISTANT
Monsieur is very kind, but I'm fine here.

PROSPER
No, no... I'm asking you to go out there...

THE SHOP ASSISTANT
Oh, right, Monsieur, I'm sorry. I didn't understand. (Exit.)

PROSPER, alone
Hello? Biarritz Property Rentals?... Monsieur, I would like to rent a small villa for the Easter holidays, modest but still

modeste, mais jolie tout de même... *(Entre Claude sans être vu par Prosper.)* Oui, à Biarritz... ou dans les environs immédiats de Biarritz... À Saint-Jean-de-Luz, par exemple, ou bien à Guéthary. Il me faudrait trois chambres, un salon, une salle-à-manger... et une cuisine, naturellement... et une chambre de domestique. À Saint-Jean-de-Luz, oui, c'est parfait. Est-ce qu'elle est sur la plage ?.. Eh bien ! voilà exactement ce que je veux. Quel prix allez-vous me demander ?... Oh oh ! pour quinze jours, ça me paraît beaucoup !... Disons deux mille, voulez-vous ?... Eh bien, je vais vous le confirmer par lettre, dès ce soir. Attendez, ne vous en allez pas, Monsieur. Quel est le nom de la Villa ? Villa « Mon Rêve » ?... Parfait. *(Sur ces derniers mots, Claude est ressorti.)* Au revoir, Monsieur, je vous salue.

LE GARÇON, *entrant*
Attention, Monsieur, voilà Madame.

PROSPER
Pourquoi dites-vous « attention » ?

LE GARÇON
J'ai dit ça, Monsieur, parce que j'ai l'impression qu'il se passe quelque chose dans la maison... et ça m'aurait fait plaisir d'y être mêlé. Je m'ennuie tellement, ici.

(Entre Antoinette.)

PROSPER
D'où viens-tu ?

ANTOINETTE
Moi... de dehors !

PROSPER
Ça, je le vois.

ANTOINETTE
Faire un tour !... Pour prendre l'air... j'avais une migraine !

PROSPER
Et ça va mieux ?

ANTOINETTE
C'est fini !... Je vais vite retirer mon chapeau...

PROSPER
C'est dommage !

pretty... *(Enter Claude, unseen by Prosper.)* Yes, in Biarritz... or in the immediate vicinity of Biarritz... In Saint-Jean-de-Luz, for example, or Guéthary. I require three bedrooms, a living room, a dining room... and a kitchen, of course... and a maid's room. In Saint-Jean-de-Luz, yes, that's perfect. Is it on the beachfront? Well, that's exactly what I want. What's your price?... Oh, I say, that seems like a lot for a fortnight. Let's say two thousand, shall we? Fine, I'll send you a letter of confirmation this evening. Wait, don't hang up, Monsieur. What's the name of the villa? 'Mon Rêve'? ... Perfect. *(On the last words, Claude goes out again, still unnoticed.)* Goodbye, Monsieur, and thank you.

THE SHOP ASSISTANT, *coming in*
Watch out, Monsieur, here comes Madame.

PROSPER
Why do you say 'Watch out'?

THE SHOP ASSISTANT
I said it, Monsieur, because I have a feeling there's something going on in the house... and I would have liked to have been on it. I'm so bored here.

(Enter Antoinette.)

PROSPER
Where have you come from?

ANTOINETTE
Me? From outside!

PROSPER
I can see that.

ANTOINETTE
I went for a walk!... To get some fresh air... I had a headache!

PROSPER
And is it better now?

ANTOINETTE
It's gone. I'll take my hat off quickly...

PROSPER
That's a pity!

ANTOINETTE
Pourquoi ?

PROSPER
Parce qu'il te va très bien.

ANTOINETTE
C'est vrai ? Merci.

PROSPER
Ta nouvelle coiffure aussi te va très bien.

LE GARÇON
Oui, elle lui va bien, hein ?

ANTOINETTE
Tant mieux. Marie-Anne n'est pas là ?

PROSPER
Elle s'est enfermée dans sa chambre pour écrire à sa grand-mère.

ANTOINETTE
Encore ?

PROSPER
Pourquoi, encore ?

ANTOINETTE
Elle lui écrit tous les jours.

PROSPER
Elle aime bien sa grand-mère.

ANTOINETTE
Oui, mais enfin... tous les jours ! Tiens, voilà Lallumette. Je vous laisse.

PROSPER
Tu redescends ?

ANTOINETTE
Tout de suite.

(Lallumette est entré et Antoinette a disparu dans l'escalier.)

PROSPER
Ah ! mon ami, tu arrives bien. D'ailleurs tu arrives toujours bien. Il s'en passe de belles, ici, depuis huit jours. *(au Garçon de magasin)* Laissez-nous.

LE GARÇON
Bien, Monsieur.

PROSPER
Allez dans le passage.

LE GARÇON
Si ça ne fait rien à Monsieur, j'irai plutôt

ANTOINETTE
Why?

PROSPER
Because it suits you very well.

ANTOINETTE
Is that right? Thank you.

PROSPER
Your new hairstyle suits you very well too.

THE SHOP ASSISTANT
Yes, it does, doesn't it?

ANTOINETTE
I'm glad to hear it. Isn't Marie-Anne here?

PROSPER
She shut herself up in her room to write to her grandmother.

ANTOINETTE
Again?

PROSPER
Why 'again'?

ANTOINETTE
She writes to her every day.

PROSPER
She's fond of her grandmother.

ANTOINETTE
Yes, but every day? Ah, here's Lallumette. I'll leave you two alone.

PROSPER
Are you going back downstairs?

ANTOINETTE
Right away.

(Enter Lallumette. Antoinette exits down the stairs.)

PROSPER
Ah, my friend, you've come at an opportune moment. Indeed, you always do. There's been plenty going on here for the past week. *(to the Shop Assistant)* Leave us alone.

THE SHOP ASSISTANT
Yes, Monsieur.

PROSPER
Go out into the corridor.

THE SHOP ASSISTANT
If it's all right with Monsieur, I'd rather go

un peu dans la rue. Je le connais trop le passage. *(Il sort.)*

PROSPER

Ça va ? Te souviens-tu que lorsque j'ai étalé devant toi toutes ces lettres que je venais de trouver à la poste restante, il y en a trois que j'ai mises de côté ? *(Lallumette fait un geste à sa poche.)* Oui, deux dans cette poche-ci et une dans celle-là... la lettre seule, c'était la lettre d'une comtesse... mais les deux autres... sais-tu de qui elles étaient ?... L'une était de ma fille, et l'autre de ma femme !... Qu'est-ce que tu penses de ça ?... Ce que j'en pense moi-même. Et qu'est-ce que tu aurais fait ? Oui, eh bien ! non... j'ai fait justement le contraire...

(Chanté :)

out into the street for a while. I know the corridor too well. *(Exit.)*

PROSPER

How are you? Do you remember, when I laid out in front of you all those letters I had just found at the post office, there were three that I kept to one side? *(Lallumette makes a gesture indicating his pocket.)* Yes, two in this pocket and one in that one. The letter I kept by itself was from a countess... But the other two... do you know who they were from? One was from my daughter, and the other from my wife! What do you think of that?... The same as I think of it myself. And what would you have done? Yes. Well, no! I did exactly the opposite...

(He starts to sing:)

(Nº 7 – AIR)

10 PROSPER

Au lieu, vois-tu de les confondre,
Et de leur mettre
Leurs deux lettres
Sous le nez,
J'ai pressenti, j'ai deviné
Qu'il allait être encor plus drôle
d'y répondre !

Et voilà huit jours que ça dure,
Voilà huit jours que l'on s'écrit
Qu'on s'en raconte et qu'on s'en jure,
Et qu'on s'en dit...
Et qu'ainsi j'en apprends de belles,
je t'assure !

On passe vingt années
Avec des êtres...
Et c'est pourtant long vingt années,
Eh bien ! mon cher,
au bout de ces vingt années,
On est tout étonné
De ne pas les connaître.

(No.7 – AIR)

PROSPER

So, you see, instead of confronting them
And flinging
Their two letters
Back in their faces,
I sensed, I guessed
That it would be even more amusing
to answer them!

And it's been going on for a week now,
We've been writing to each other for a week,
Exchanging stories and vows,
Confiding in each other...
And I've learnt all sorts of things,
I can assure you!

You spend twenty years
With other human beings...
And even though twenty years is a long time,
Well, my dear fellow,
after those twenty years,
You're amazed to find
You don't know them at all.

Depuis huit jours, je leur procure	For the past week, I've been giving them
Une aventure	An adventure
Inespérée	They never dreamt of
Donc espérée,	– Or rather, that they *did* dream of –
Et voilà que cette aventure	And now that adventure
Les transfigure !	Has transfigured them!
Car elles sont transfigurées	For they *are* transfigured
Depuis qu'à mon profit	Now that, for my benefit
Moi, pas bête, je modifie	(Mine, I'm not daft!), I alter
Leurs idées, leurs goûts, leur coiffure...	Their ideas, their tastes, their hairstyles...
Et même certaines manières	And even some habits
Qui m'avaient jusqu'ici	Which hitherto
Tellement énervé !	Had really got on my nerves!
Ainsi,	For example,
Je les oblige à se lever	I'm making them get up
De meilleure	Earlier
Heure...	In the morning
À s'habiller sitôt levées...	And get dressed as soon as they're up...
Et tout ce que je leur demande,	And everything I ask of them,
Immédiat'ment,	I obtain
Je l'obtiens d'elles en les prenant	At once, by catching them,
Si j'ose dire par la bande !	If I may say so, by roundabout means!
Je leur écris	I write to them
Que je les vois	That I imagine them
Douc', aimables et souriantes...	Gentle, kind and smiling...
Elles n'osent plus même	They don't even dare raise their voices
élever la voix,	any more,
Tell'ment elles sont obéissantes !	So obedient have they become!
Ainsi donc, je les transfigure	And I transfigure them in this way
En déguisant	Quite simply
Tout simplement	By disguising
Mon écriture !	My handwriting!
(Lallumette trace rapidement quelques mots	*(Lallumette quickly scribbles a few words on a*
sur une feuille de papier qui traînait là, sur le	*sheet of paper that was lying on the counter*
comptoir et il la passe à son ami qui, tout	*and hands it to Prosper, who reads it aloud.*
haut, la lit. Parlé :)	*Spoken:)*
« Je ne suis pas très connaisseur	'I'm not very knowledgeable
En la matière,	In this matter,
Mais quand tu les conduis	But in getting them
de la sorte à ta guise,	to do your bidding
En les prenant par la douceur,	By treating them gently,

Ne crois-tu pas que c'est plutôt ton caractère	Don't you think it's more your character
Que tu déguises ? »	That you're disguising?'
Lallumette !	Lallumette!
(chanté)	*(sung)*
Peut-être !	Maybe!
Alors, à ton avis,	So, in your opinion,
Un jour, on s'aperçoit	One day you realise
Qu'il est un être	That there's a being
Avec lequel on peut passer toute sa vie	One can spend your whole life with
Sans le connaître... ?	Without knowing them?
Et que c'est soi ?	And that being is oneself?
Peut-être !	Maybe!

[Dialogue]

(Marie-Anne vient d'entrer élégante, jolie, prête à sortir.)

MARIE-ANNE
Oh ! Bonjour, cher Monsieur Lallumette. Vous allez bien ? Tant mieux. Nous aussi. À tout de suite, papa.

PROSPER
Tu sors ?

MARIE-ANNE
Oui... faire une course. Ça t'ennuie ?

PROSPER
Pas du tout. Comme tu es élégante !

MARIE-ANNE
Pas tant que toi, papa ! Et ta cravate est ravissante.
(Elle sort.)

PROSPER
Quelle douceur et quelle gracieuseté !... C'est vrai qu'elle est jolie, ma cravate !... Je n'aime pas beaucoup mon chapeau, mais ma cravate est ravissante. *(Lallumette fait signe que oui.)* C'est pour mon rendez-vous, mon premier rendez-vous avec la comtesse ! Car j'ai écrit aussi à la comtesse, et la comtesse me répond, et j'ai rendez-vous avec elle, aujourd'hui, à onze heures, à la Chalcographie du Louvre. Je crois que cette Comtesse est une très grande dame mariée à un vieillard, et qui cherche un dérivatif. En tous cas, je vais voir comment elle est. Pour ce genre de rendez-vous-là, je te recommande la

[Dialogue]

(Marie-Anne has just entered, elegant, pretty, ready to go out.)

MARIE-ANNE
Oh! Hello, dear M. Lallumette. Are you well? Excellent. So are we. See you in a minute, Papa.

PROSPER
Are you going out?

MARIE-ANNE
Yes, just for an errand. Do you mind?

PROSPER
Not at all. How elegant you are!

MARIE-ANNE
Not as elegant as you, Papa! And your tie is delightful.
(Exit.)

PROSPER
What sweetness and grace! It's true that my tie is smart! I don't like my hat very much, but my tie *is* delightful. *(Lallumette signals his agreement.)* It's for my rendezvous, my first rendezvous with the Countess! For I wrote to the Countess too, and she answered me, and I have an appointment with her, at eleven o'clock today at the Chalcography Department of the Louvre. I believe that this Countess is a very grand lady married to an old man, and is looking for a diversion. In any case, I'm going to see what she's like. For that kind of rendezvous, I recommend the Chalcography... because, you understand...

Chalcographie... parce que, tu comprends... on se cache derrière le moulage de la Victoire de Samothrace, et si la femme n'est pas bien... on fiche le camp sans qu'elle vous voie. Pour ne pas risquer de me tromper, je lui ai recommandé de se mettre tout en rouge avec une ceinture verte et un boa de plumes blanches... Il y a peu de chance qu'il y ait deux femmes habillées comme ça aujourd'hui au Musée du Louvre. Il est dix heures et demie, aussi je file tout de même, car j'ai deux lettres à écrire. Je vais les écrire dans un café. Je ménage à ma femme et à ma fille une surprise qui leur servira de leçon, va, je te le jure. Tu viens ? Tu restes ? Fais ce que tu veux. Moi je m'en vais. *(Lallumette le retient d'un geste, fouille dans sa poche, en sort une lettre et la lui remet.)* Une lettre pour moi ? Une lettre de femme, encore ? Ah ! Non... de toi ?... Ah ! bon. Il y a une réponse ? *(Lallumette fait signe que non.)* Alors, je la lirai ce soir. *(Il la remet dans sa poche. Antoinette paraît dans l'escalier.)* Tiens, voilà Antoinette, bavarde un peu avec elle... mais... chut... *(Il met son doigt sur ses lèvres. Lallumette lui fait signe qu'à l'impossible nul n'est tenu.)* C'est vrai, pardon. Un confident muet, ça c'est vraiment le rêve. *(Il sort. Antoinette est entrée.)*

ANTOINETTE

Ah ! gentil Lallumette, que je suis contente de vous voir. Venez là tout près de moi, que je vous confie un grand secret. *(Elle le fait asseoir et s'assied près de lui.)* Mon petit Lallumette, il se passe dans ma vie une chose inouïe... merveilleuse... mais effrayante. *(Il fait signe qu'il sait de quoi il s'agit.)* Non, vous ne savez pas... vous ne pouvez pas savoir... *(Il fait signe que si.)* Mais non... n'insistez pas... personne au monde ne peut le savoir... *(La porte s'ouvre et Jean-Paul paraît.)* Vous désirez, Monsieur ?

JEAN-PAUL

...

ANTOINETTE

Un feutre ? un panama ? *(Jean-Paul la supplie du regard.)* Un haut-de-forme ?

JEAN-PAUL

Non, je voudrais...

you hide behind the cast of the Victory of Samothrace, and if the woman isn't up to much... you leave without her seeing you. So as not to risk being mistaken, I've recommended she dress all in red, with a green sash and a white feather boa... There's not much chance there will be two women dressed like that in the Louvre Museum today. It's half past ten, so I'd better be off, because I have two letters to write. I'm going to write them in a café. I'm giving my wife and daughter a surprise that will teach them a lesson, I'll swear to that. Are you coming? Are you staying here? Do whatever you like. I'm leaving. *(Lallumette holds him back with a gesture, searches his pocket, takes out a letter and gives it to him.)* A letter for me? A letter from a woman, again? Ah! No... from you?... Oh, very well. Does it require an answer? *(Lallumette shakes his head.)* Then I'll read it tonight. *(He puts it back in his pocket. Antoinette appears on the stairs.)* Here's Antoinette. Chat a bit with her... but.... mum's the word! *(He puts his finger to his lips. Lallumette gestures to point out that he can't do the impossible.)* Oh, it's true, sorry. A mute confidant: that's really a dream. *(Exit Prosper. Enter Antoinette.)*

ANTOINETTE

Ah! Kind Lallumette, how pleased I am to see you. Come over here, up close to me, so that I can tell you a great secret. My little Lallumette, there's something quite new in my life... wonderful... but frightening. *(He gestures that he knows what it is.)* No, you don't know... you can't know. *(He indicates that he does.)* But no... don't insist... no one in the world can know... *(The door opens and Jean-Paul appears.)* Can I help you, Monsieur?

JEAN-PAUL

Er...

ANTOINETTE

A felt hat? A panama? *(Jean-Paul throws her a beseeching glance.)* A top hat?

JEAN-PAUL

No, I'd like...

ANTOINETTE
Alors, un melon ?

JEAN-PAUL
Si vous voulez, Madame.

ANTOINETTE
Entrée de tête ?

JEAN-PAUL
Sept et quart. *(bas)* Je voudrais vous parler.

ANTOINETTE, *bas*
C'est impossible.

JEAN-PAUL
Oh ! Pourquoi ? Je vous aime.

ANTOINETTE
Je vous prie de vous taire. *(Pensant qu'il est de trop, Lallumette s'est levé et il vient dire au revoir à Antoinette.)* Oh ! pourquoi partez-vous ?... Vous êtes obligé ?... Ah ! j'aurais tant voulu... oui, revenez bientôt...

(Lallumette s'en va.)

JEAN-PAUL
Enfin... seule ! Seule, enfin, je vous vois ! Quel bonheur !... Quelle ivresse !... Alors !... Alors ?... Alors ?...

ANTOINETTE
Alors quoi ?

JEAN-PAUL
Cet espoir ?

ANTOINETTE
Quel espoir ?

JEAN-PAUL
Que vous m'avez donné ?

ANTOINETTE, *le prenant de haut*
Que je vous ai donné !... Mais vous devez faire erreur, Monsieur... car je ne vous ai donné aucun espoir d'aucune sorte...

JEAN-PAUL
Comment... voyons... le jour où je vous ai pincé le derrière, vous m'avez dit d'attendre deux jours... et voilà huit jours que j'attends... voilà huit jours que je vous guette... voilà huit jours, que, tous les jours, matin et soir, j'entre ici pour vous voir un instant seule et vous parler... et que j'achète un chapeau melon pour me

ANTOINETTE
How about a bowler?

JEAN-PAUL
If you wish, Madame.

ANTOINETTE
Head size?

JEAN-PAUL
Seven and a quarter. *(quietly)* I'd like to talk to you.

ANTOINETTE, *quietly*
It's impossible.

JEAN-PAUL
Oh! Why? I love you.

ANTOINETTE
I beg you, be silent. *(Thinking he is in the way, Lallumette has got up and comes to say goodbye to Antoinette.)* Oh! Why are you leaving? Do you have to? I would have so liked... Yes, come back soon...

(Exit Lallumette.)

JEAN-PAUL
At last... alone! Alone, at last, I see you! What happiness! What intoxication!... Well! Well? Well?

ANTOINETTE
Well what?

JEAN-PAUL
That hope?

ANTOINETTE
What hope?

JEAN-PAUL
That you gave me?

ANTOINETTE, *haughtily*
That I gave you? But you must be mistaken, Monsieur... because I have given you no hope whatsoever...

JEAN-PAUL
What? Now wait a minute... the day I pinched your bottom, you told me to wait two days... and I've been waiting for a week now... I've been watching out for a week now... for a week now, every day, morning and evening, I come in here to see you alone for a moment and talk to you... and I buy a bowler hat for the sake

donner une contenance... j'en suis à mon douzième chapeau, Madame... et je vous aime !

ANTOINETTE
Mais qu'est-ce que vous voulez que j'y fasse ?

JEAN-PAUL
Oh ! méchante, méchante !... Avouez donc plutôt que j'arrive trop tard... car j'arrive trop tard, voilà la vérité !... Ah ! non, vous n'êtes plus la même... vous n'êtes plus celle à qui j'ai pincé le derrière.

ANTOINETTE
Mais je vous interdis...

JEAN-PAUL
Toutes vos interdictions ne m'empêcheront pas de vous dire, Madame, que vous êtes une menteuse... une menteuse que je trouve ravissante, mais une menteuse tout de même... ou alors, vous n'avez aucune mémoire.

ANTOINETTE
Eh bien ! Monsieur, disons que je n'ai aucune mémoire, voilà tout !

JEAN-PAUL
Mais, cependant...

ANTOINETTE
Puisque je vous dis que je n'en ai pas, allez-vous en !

(Prosper vient d'entrer.)

PROSPER
De quoi n'as-tu pas ?... D'abord, tout peut se faire... et puis, Monsieur peut prendre autre chose en attendant, quel genre de chapeau, Monsieur, désirez-vous ?

JEAN-PAUL
Donnez-moi un melon, c'est encore ce qu'il y a de plus simple, allez !

PROSPER
Encore un melon ? Parfait. Tenez, Monsieur, voilà un sept et quart qui doit vous aller comme un gant.

JEAN-PAUL
Mettez-le moi dans un carton.

of appearances... I'm on my twelfth hat now, Madame... and I love you!

ANTOINETTE
But what do you want me to do about it?

JEAN-PAUL
Oh! Wicked, wicked woman... Why don't you admit that I've come too late? Because I have come too late, that's the truth!... No, you're not the same person. You are not the woman whose bottom I pinched.

ANTOINETTE
But I prohibit you...

JEAN-PAUL
All your prohibitions won't prevent me from telling you, Madame, that you are a liar... a liar whom I find ravishing, but a liar all the same... or else you have no memory.

ANTOINETTE
Well, Monsieur, let's just say I have no memory, that's all!

JEAN-PAUL
But all the same...

ANTOINETTE
Since I tell you I don't have any, go away!

(At these words, enter Prosper.)

PROSPER
What don't you have?... First of all, everything is possible... and then, the gentleman can take something else in the meantime. What kind of hat would you like, Monsieur?

JEAN-PAUL
Give me a bowler, then, that's the simplest thing!

PROSPER
Another bowler? That's fine. Here, Monsieur, here's a seven and a quarter that should fit you like a glove.

JEAN-PAUL
Put it in a box for me.

PROSPER
Mais parfaitement.

JEAN-PAUL
150 francs n'est-ce pas ?

PROSPER
Je vous le laisse à cent quarante.

JEAN-PAUL
Non, merci... ça me gêne. Voilà 150 francs, Madame.

(Il sort en lui faisant signe qu'il voudrait bien lui repincer le derrière.)

PROSPER
Pour l'amour de Dieu, ma chérie, ne dis jamais à un client que tu n'as pas ce qu'il demande.

ANTOINETTE
Si je ne l'ai pas...

PROSPER
Eh bien ! si tu ne l'as pas, tu lui dis : « Je ne l'ai pas, mais »...

ANTOINETTE
Mais quoi ?

PROSPER
« Mais j'ai mieux que ça ». Et tu lui colles autre chose. Tiens, pour t'apprendre ton métier, faisons une expérience. Je suis un client, je me présente et je te dis : « Je voudrais un feutre blanc avec un ruban rouge »... Tu me réponds ?

ANTOINETTE
Je n'en ai pas, Monsieur, mais...

PROSPER
Continue.

ANTOINETTE
J'en ai un gris...

PROSPER
Foncé...

ANTOINETTE
Clair qui vous ira très bien.

PROSPER
Et tu me choisis un sept trois quart, dans le rayon au-dessus, ma chérie... *(Elle le choisit dans une armoire.)* Et tu me le poses sur la tête. *(Elle le fait.)* Est-ce qu'il me va bien ?

PROSPER
Most certainly.

JEAN-PAUL
A hundred and fifty francs, isn't it?

PROSPER
You can have it for a hundred and forty.

JEAN-PAUL
No, thank you... I don't feel comfortable with that. Here's a hundred and fifty francs, Madame.

(Exit, making it clear to her with a gesture that he'd like to pinch her bottom again.)

PROSPER
For God's sake, darling, never tell a customer you don't have what he wants.

ANTOINETTE
If I don't have it...

PROSPER
Well, if you don't have it, you tell him, 'I don't have it, but'...

ANTOINETTE
But what?

PROSPER
'But I've got something better.' And you brush him off with something else. Here, to teach you your job, let's try it out. I'm a customer, I introduce myself and I say: 'I'd like a white felt hat with a red ribbon'... You answer me?

ANTOINETTE
I don't have one, Monsieur, but...

PROSPER
Keep going.

ANTOINETTE
I have a grey one...

PROSPER
Dark grey...

ANTOINETTE
Light grey, that will suit you very well.

PROSPER
And you pick me out a seven and three quarters from the top shelf, darling... *(She picks it out of a cupboard.)* And you put it on my head. *(She does so.)* Does it suit me?

ANTOINETTE
Il te va très bien.

PROSPER
Eh bien ! alors, la vie est belle !... C'était pour ça que j'étais revenu. Le mien est dégoûtant... Décidément, le proverbe est vrai : « Les bottiers sont toujours mal chaussés. »

(Il sort. Par la porte du fond, entre Marie-Anne en courant. Elle referme la porte derrière elle.)

ANTOINETTE
Ah ! te voilà ! Je monte... je vais faire mon courrier.

MARIE-ANNE, *retirant son chapeau*
Je crois que je l'ai dépisté... Pourquoi ai-je l'impression que c'est un homme de la police secrète ?.... Parce qu'il n'en a pas du tout l'air, peut-être. *(En écartant les rideaux de la vitrine de gauche, elle jette un coup d'œil dans le passage.)* Oui, sûrement, je l'ai dépisté. Tant mieux... J'aime autant qu'il ne connaisse pas mon adresse. *(La porte s'ouvre et Claude paraît.)* Oh ! le voilà !

(Élégant, beau, très froid et sûr de lui, sourire aux lèvres, œil ironique, charmant, quoi !)

CLAUDE
Bonjour, Mademoiselle...

MARIE-ANNE
Bonjour, Monsieur...

CLAUDE
Vous avez des chapeaux à vendre ?

MARIE-ANNE
Oh ! oui, beaucoup... vous les voulez ?

CLAUDE
Je ne les veux pas tous... mais j'en veux quelques-uns. Montrez-les moi que je choisisse.

MARIE-ANNE
Si vous preniez la peine de m'en préciser le nombre, la couleur et la forme, nous réaliserions, vous et moi, une grosse économie de temps.

CLAUDE
Je ne suis pas pressé.

ANTOINETTE
It suits you very well.

PROSPER
Well, then, everything is wonderful. That's why I came back. My hat was repulsive... The old proverb is definitely true: 'The shoemaker always wears the worst shoes.'

(Exit Prosper. Marie-Anne runs in through the door at the back and closes it behind her.)

ANTOINETTE
Ah! There you are! I'm going upstairs... I'm going to catch up with my correspondence.

MARIE-ANNE, *taking off her hat*
I think I've shaken him off... Why do I get the feeling he's a secret policeman?... Maybe because he doesn't look anything like one. *(Moving aside the curtains of the window on the left, she glances into the passageway.)* Yes, I'm sure I've shaken him off. Good... I'd rather he didn't know my address. *(The door opens and Claude appears.)* Oh! Here he is!

(Elegant, handsome, very cool and sure of himself, a smile on his face, a humorous gaze – charming, in short!)

CLAUDE
Good morning, Mademoiselle.

MARIE-ANNE
Good morning, Monsieur.

CLAUDE
Do you have any hats for sale?

MARIE-ANNE
Oh, yes, lots... Do you want them?

CLAUDE
I don't want them all... but I do want some. Show them to me so that I can choose.

MARIE-ANNE
If you took the trouble to tell me the number, colour and shape, you and I would save a great deal of time.

CLAUDE
I'm not pressed for time.

MARIE-ANNE
Oui, mais moi, si !

CLAUDE
Que ne l'êtes-vous dans les bras de celui
qui, depuis quelques jours, vous guette,
vous attend et vous suit dans la rue...
quand vous allez jusqu'à la porte...

(Elle a rougi.)

MARIE-ANNE
Assez, Monsieur, sur ce chapitre !

CLAUDE
Revenons à celui des chapeaux.

MARIE-ANNE
Lesquels désirez-vous ?

CLAUDE
Choisissez-les vous-mêmes.

MARIE-ANNE
C'est bien embarrassant. Qu'est-ce que
vous aimez ?

CLAUDE
Demandez-moi « qui » j'aime.

MARIE-ANNE
« Qui » vous aimez, Monsieur... ça ne me
regarde pas !

CLAUDE
« Ça »... Comme vous en parlez !... Mettez-
vous devant cette glace... « Ça » vous
regardera !...

MARIE-ANNE
Êtes-vous décidé, enfin,
Monsieur ?

CLAUDE
Oh ! oui, Mademoiselle... formellement !

MARIE-ANNE
Eh bien ! alors... je vous en prie... allez,
Monsieur... je vous écoute !

CLAUDE
Puisque vous m'en priez...

(Musique. Il chante.)

MARIE-ANNE
Yes, but I am!

CLAUDE
If only you were pressed in the arms of
the man who has been keeping an eye out
for you for several days, waiting for you
and following you in the street... when you
go to the door...

(She blushes.)

MARIE-ANNE
Enough, Monsieur, on that subject!

CLAUDE
Let's get back to the question of hats.

MARIE-ANNE
Which ones do you want?

CLAUDE
Choose them yourself.

MARIE-ANNE
That's rather awkward. What do you
like?

CLAUDE
Ask me 'who' I like.

MARIE-ANNE
'Who' you like, Monsieur... I needn't look
into that!

CLAUDE
'That'... How you speak of it!... Stand in
front of this mirror... 'That' will look *out* at
you!

MARIE-ANNE
Have you finally made up your mind,
Monsieur?

CLAUDE
Oh yes, Mademoiselle... formally!

MARIE-ANNE
Well then... please... come now, Monsieur...
I'm listening!

CLAUDE
Since you ask me...

(Music. He sings.)

(N° 8 – COUPLETS)

(No. 8 – COUPLETS)

11 CLAUDE

Je veux d'abord
Un chapeau beige à larges bords,
D'un joli beige... assez voyant...
Assez voyant pour qu'à
cent mètres
Quelqu'un puisse infailliblement
Le reconnaître !
(Elle lui en passe un. Il l'essaye ; il lui va.)
Mais oui, le voici, c'est lui-même...
C'est bien celui qu'on doit avoir
Pour attendre sur un trottoir
En la guettant...
(Il la salue, lui tend la main. Elle la lui donne distraitement.)
... celle qu'on aime.
(Il met le chapeau sur le comptoir.)
En avez-vous
Un plus discret que celui-ci ?... C'est pour les rendez-vous secrets...
(parlé) Mon Dieu que vous êtes charmante !
(chanté) Qu'elle me donn'ra dans des taxis.
La s'main' suivante !
(Elle lui en donne deux marrons à choisir. Il essaie le premier. Il lui va. Il a l'autre à la main.)
Celui-ci me semble vous plaire... Moi, je l'adore et je le prends
Il est peut-être un peu trop grand
Mais ça vaut mieux...
(Il essaie l'autre chapeau qui est trop petit.)
Que le contraire !
(Éliminant le second, il met le premier à côté du chapeau beige sur le comptoir.)
(parlé) Et nous allons
Maintenant choisir un melon
Je pourrais faire en vérité
Des plaisant'ries inoffensives
Sur sa comestibilité...
(chanté) Mais je m'en prive !
(Elle lui a passé un chapeau melon. Il lui va.)

CLAUDE

First I want
A beige hat with a wide brim,
A nice shade of beige... fairly conspicuous...
Conspicuous enough that at
a hundred metres
Anyone is bound
To recognise it!
(She passes him one. He tries it on; it fits him.)
Yes, this is it, the very thing...
That's exactly the kind one needs
To wait on the pavement
Looking out for her...
(He bows to her and extends his hand. She shakes hands distractedly.)
... The girl one loves.
(He puts the hat on the counter.)
Do you have one
That would be more discreet than this?
It's for the secret rendezvous...
(spoken) My God, you're charming!
(sung) She'll be arranging with me in taxis
The week after that!
(She gives him two brown hats to choose from. He tries the first. It fits him. He holds the other one in his hand.)
I think you like this one...
For my part, I love it and I'll take it...
It may be a little too big
But that's better...
(He tries on the other hat, which is too small.)
Than the other way round!
(Eliminating the second one, he puts the first one next to the beige hat on the counter.)
(spoken) And now we're going
To choose a bowler.
I suppose I could make
Harmless jokes
About cricket...
(sung) But I won't!
(She passes him a bowler hat. It fits him.)

Je m'en prive, Mademoiselle,
Car ce chapeau est, en effet,
Celui qu' l'on met quand on fait
Une demande...
(Il met rapidement ses gants.)
... officielle !

Et maintenant
Puisqu'en jaquette on se marie
Suivons la mode de Paris...
(Il est normal qu'on s'y conforme !)
(parlé) Donnez-moi donc, je vous prie
(chanté) Un haut-de-forme !
(Elle lui en passe un. Il ne le met pas.)
Ai-je résolu le problème
Que je venais de me poser ?
Avec quatre chapeaux, oser
Vous déclarer...
... que je vous aime !

I won't joke, Mademoiselle,
For this hat is just the kind
One wears to make
An official...
(He quickly puts on his gloves.)
... Proposal!

And now,
Since one gets married in morning dress,
Let's follow Paris fashion...
(It's only right that we should!)
(spoken) So please give me
(sung) A top hat!
(She hands him one. He doesn't put it on.)
Have I solved the problem
That I set myself just now?
By means of four hats, to dare
To declare to you...
... That I love you!

[Dialogue]

CLAUDE
Vous ne répondez rien à ma déclaration ?

MARIE-ANNE
J'attends !

CLAUDE
Qu'est-ce que vous attendez ?

MARIE-ANNE
Les initiales qu'il faut mettre dans les chapeaux.

CLAUDE
Eh bien ! mettez les initiales de mes prénoms...

MARIE-ANNE
De vos prénoms ?

CLAUDE
Oui, j'en ai sept. Voulez-vous écrire ?

MARIE-ANNE
Mais, certainement.

(Elle a pris un crayon et une feuille de papier.)

[Dialogue]

CLAUDE
Aren't you going to reply to my declaration?

MARIE-ANNE
I'm waiting!

CLAUDE
What are you waiting for?

MARIE-ANNE
The initials to be marked in the hats.

CLAUDE
Well! Put the initials of my first names...

MARIE-ANNE
Your first names?

CLAUDE
Yes, I have eight. Would you like to write them down?

MARIE-ANNE
Why, certainly.

(She takes pencil and paper.)

CLAUDE
Jean, Édouard, Théophile, Albert, Isidore,
Maurice, Émile...

MARIE-ANNE
J, e, t, a, i, m, e...

CLAUDE
Qu'est-ce que ça fait ?

MARIE-ANNE
Ça fait : j... e... t... a... i... m... e... Ça fait
trente-cinq francs !

CLAUDE
Non, Mademoiselle, ça fait : « je t'aime »...
Quelles sont les vôtres ?

MARIE-ANNE
Mes prénoms ?...

CLAUDE
Oui, dites-le moi...

MARIE-ANNE
Jamais de la vie !

CLAUDE
Dites-moi quelque chose...

MARIE-ANNE
Vous voulez que je vous dise quelque
chose ?... Eh bien, je m'appelle... Zoé,
Ursule, Thérèse !...

CLAUDE
Oh ! ça fait « zut » !... ce n'est pas gentil !
Non... je vous déplais ?

MARIE-ANNE
Je ne dis pas que vous me déplaisez... mais
vous devriez d'abord me demander...

CLAUDE
Si vous êtes libre.

MARIE-ANNE
Évidemment !

CLAUDE
Vous n'êtes pas libre ?

MARIE-ANNE
Non, Monsieur.

CLAUDE
Alors, Mademoiselle, je vous fais mes
excuses... Vous voulez bien les accepter ?

MARIE-ANNE
Je les accepte. Et vous me laissez vos
quatre chapeaux ?

CLAUDE
Isidore, Laurent, Octave, Vincent, Émile,
Yves, Olivier, Urbain...

MARIE-ANNE
I, L, O, V, E, Y, O, U...

CLAUDE
What do those letters make?

MARIE-ANNE
They make: I, L, O, V, E, Y, O, U... They
make thirty-five francs!

CLAUDE
No, Mademoiselle, they make 'I love you'.
What are yours?

MARIE-ANNE
My first names?

CLAUDE
Yes, tell me...

MARIE-ANNE
Never in a million years!

CLAUDE
Tell me something...

MARIE-ANNE
You want me to tell you something? Well,
my name is... Béatrice, Odile, Thérèse,
Henriette, Elvire, Rose!

CLAUDE
Oh, that makes 'Bother!' That's not nice!
No... Don't you like me?

MARIE-ANNE
I'm not saying I don't like you... but you
should ask me first...

CLAUDE
Whether you're free.

MARIE-ANNE
Of course!

CLAUDE
Aren't you free?

MARIE-ANNE
No, Monsieur.

CLAUDE
So, Mademoiselle, I apologise... Will you
accept my apology?

MARIE-ANNE
I accept it. And are you leaving me your
four hats?

CLAUDE
Mettez-les moi de côté... mais pas trop loin, que vous puissiez les retrouver facilement... Sait-on jamais !... Vous êtes triste !

MARIE-ANNE
Non...

CLAUDE
Pensive ?

MARIE-ANNE
Un peu...

CLAUDE
Perplexe !... Devant toutes ces initiales en désordre, piquée sur cette feuille de liège, vous avez l'air de faire des mots croisés en polonais !... J'invente un jeu, tenez... asseyez-vous là, et je vais vous l'apprendre, dans l'espoir seulement de vous faire sourire. Vous allez prononcer tout haut les lettres que je vais vous désigner du doigt ! Commençons...

(La musique joue.)

MARIE-ANNE
Mais non, mais non.

CLAUDE
Oh ! si...

MARIE-ANNE
Mais non...

CLAUDE
A... B... C... D...

(Ils chantent.)

CLAUDE
Put them aside for me... but not too far away, so you can find them easily... You never know!... You're sad!

MARIE-ANNE
No...

CLAUDE
Pensive?

MARIE-ANNE
A little...

CLAUDE
Perplexed! With all those jumbled initials in front of you, pinned on that sheet of cork, you look as if you're doing a crossword puzzle in Polish! Here, I'll invent a game... Sit down here, and I'll teach it to you, just in the hope I can make you smile. You will say aloud the letters that I point out to you! Let's begin...

(Music playing.)

MARIE-ANNE
Oh no, no!

CLAUDE
Oh, yes...

MARIE-ANNE
Oh no...

CLAUDE
A... B... C... D...

(They sing.)

(Nº 9 – DUETTO)

(No.9 – DUETTO)

12 MARIE-ANNE
Allons, Monsieur, veuillez finir !...

CLAUDE
D'abord, il faudrait commencer !...

MARIE-ANNE
Je ne veux pas vous obéir !...

MARIE-ANNE
Come now, Monsieur, please stop this!

CLAUDE
We'd have to start it first...

MARIE-ANNE
I won't obey you!

CLAUDE
O... B... I... C !

CLAUDE
O... B... I... C! [Obey!]

MARIE-ANNE
Monsieur je suis très

MARIE-ANNE
Monsieur, I am very...

CLAUDE
O... Q... P...

CLAUDE
O... Q... P... [Busy]

MARIE-ANNE
Et maintenant, j'en

MARIE-ANNE
And now I've...

CLAUDE
E... A... C...

CLAUDE
E... A... C... [Had enough]

MARIE-ANNE
Vous m'ennuyez, vous m'...

MARIE-ANNE
You're annoying me, you're...

CLAUDE
N... R... V...

CLAUDE
N... R... V... [Getting on my nerves]

MARIE-ANNE
Vous m'assommez, vous m'en...

MARIE-ANNE
You're annoying me, you're...

CLAUDE
B... T...
Quand on a les yeux
qu'vous A... V...
Et que l'on n'est pas plus...

CLAUDE
B... T... [Bothering me]
When a girl has the kind of eyes
you A... V... [Have]
And isn't any...

MARIE-ANNE
A... G...

MARIE-ANNE
A... G... [Older]

CLAUDE
On doit, je pense, ramasser
Les soupirants sans se...

CLAUDE
I think she must collect
Suitors without even...

MARIE-ANNE
B... C...

MARIE-ANNE
B... C... [Bending over]

CLAUDE
Convenez donc que d'être...

CLAUDE
So you'll agree that to be...

MARIE-ANNE M... E...	MARIE-ANNE M... E... [Loved]
CLAUDE Par un homme qui n'est vôtre...	CLAUDE By a man who is your...
MARIE-ANNE N... E...	MARIE-ANNE N... E... [Elder]
CLAUDE Que de quelques années, pas plus, Ça vaut mieux qu'un coup d'pied !...	CLAUDE By just a few years, no more, Is better than a kick...
MARIE-ANNE O... Q... !	MARIE-ANNE O... Q...! [In the behind]
CLAUDE J'avais juré d'vous fair' sourire, C'est tout ce que j'ai demandé ; Vous aurez beau faire et beau dire Vous avez ri...	CLAUDE I swore I'd make you smile, That's all I asked for; You can say or do what you want, You did laugh...
ENSEMBLE C... Q... F... D...	TOGETHER Q... E... D...

[*Dialogue*]

CLAUDE
Alors, adieu, Mademoiselle.

MARIE-ANNE
Adieu, Monsieur.

CLAUDE
Adieu, Mademoiselle.

MARIE-ANNE
Pourquoi souriez-vous ?

CLAUDE
Je souris à cause de la façon dont nous nous sommes dit adieu !... « Adieu, Mademoiselle »... « Adieu, Monsieur »... nous nous sommes dit ça comme deux personnages de comédie qui essaient de faire croire au public qu'ils ne se marieront pas à la fin, alors que, dans la distribution, il n'y a pas un autre personnage avec lequel il puisse

---

[*Dialogue*]

CLAUDE
Then farewell, Mademoiselle.

MARIE-ANNE
Farewell, Monsieur.

CLAUDE
Farewell, Mademoiselle.

MARIE-ANNE
Why are you smiling?

CLAUDE
I'm smiling because of the way we said farewell to each other: 'Farewell, Mademoiselle...' Farewell, Monsieur...' We said that like two characters in a comedy trying to make the audience believe that they won't get married in the end, when there isn't another character in the cast whom they can logically marry...
'Farewell, Mademoiselle...' Farewell,

logiquement se marier... « Adieu, Mademoiselle »... « Adieu, Monsieur »... ça ne trompe personne... mais ça fait bien.

VOIX D'ANTOINETTE
Tu es là, Marie-Anne ?

MARIE-ANNE
Oui, maman.

VOIX D'ANTOINETTE
Peux-tu monter une seconde ?

MARIE-ANNE
Je suis avec un client qui s'en va... je viens de suite.

CLAUDE
Un client !... Parler comme ça de son mari !

(Elle hausse les épaules. Il lui envoie un baiser et sort.)

VOIX D'ANTOINETTE
Ne te dérange pas, chérie, dis-moi seulement si tu te souviens où peut être ma robe rouge de l'année dernière.

MARIE-ANNE
Elle doit être dans la grande armoire du couloir.

VOIX D'ANTOINETTE
Elle devrait y être, mais elle n'y est pas.

MARIE-ANNE
Alors je vais voir dans l'armoire d'en bas.

VOIX D'ANTOINETTE
Non, ne te dérange pas.

(La scène reste vide un instant. La musique joue. Une porte s'ouvre et paraît alors Félicie vêtue d'une robe rouge ceinturée de vert et elle a autour du cou un boa de plumes blanches. Elle se gante... Puis elle sort une lettre de son sac et elle chante.)

Monsieur...' It doesn't fool anyone ... but it sounds good.

VOICE OF ANTOINETTE
Are you there, Marie-Anne?

MARIE-ANNE
Yes, Mama.

VOICE OF ANTOINETTE
Can you come up for a second?

MARIE-ANNE
I'm with a customer who's leaving... I'll be right there.

CLAUDE
A customer!... Talking like that about her husband!

(She shrugs her shoulders. He blows a kiss to her and leaves.)

VOICE OF ANTOINETTE
Don't bother, dear, just tell me if you can remember where my red dress from last year might be.

MARIE-ANNE
It must be in the big wardrobe in the hallway.

VOICE OF ANTOINETTE
It ought to be there, but it isn't.

MARIE-ANNE
I'll go and look in the downstairs wardrobe, then.

VOICE OF ANTOINETTE
No, don't bother.

(The stage remains empty for a moment. Music is playing. A door opens and then Félicie appears, wearing a red dress with a green sash, and a white feather boa round her neck. She puts her gloves on. Then she takes a letter out of her bag and sings.)

(N° 10 – COUPLETS)	(NO. 10 – COUPLETS)

13 FÉLICIE

(I.)

J'connais l'rayon d'la bonn't'rie,
De la lit'rie, d'la parfum'rie,
De l'hygiène et de la merc'rie,
Ç'ui des corsets, et ç'ui des bas...
Mais ç'ui là
Je n'le connais pas !

Est-ce un nouveau rayon qui s'ouvre ?
Je suis allée vingt fois au Louvre,
Mais c'est la première fois d'ma vie
Qu'on m'donne un rendez-vous
À la Calcographie !

(II.)

J'connais l'rayon d'la pass'menterie,
D'la coutellerie, de l'argent'rie,
Ç'ui des artic' de Paris,
Ç'ui des torchons et ç'ui des draps,
Mais ç'ui là
Je n'le connais pas !

Est-ce un nouveau rayon qui s'ouvre ?
Je suis allée vingt fois au Louvre,
Mais c'est la première fois d'ma vie
Qu'on m'donne un rendez-vous
À la Calcographie !

Second Tableau

14 INTERMÈDE

(N° 11 – TRIO)

15 ANTOINETTE, MARIE-ANNE ET FÉLICIE,
ensemble ou alternativement
Ô mon bel inconnu...
Vous n'avez qu'à paraître...
Et si mes yeux encor...
Ne vous ont jamais vu...

FÉLICIE

(I.)

I know the Hosiery department,
Bedding, Perfumery,
Hygiene and Haberdashery,
The Corsetry and Stocking departments...
But this one,
I don't know it at all!

Is this a new department they've opened?
I've been to the Louvre twenty times,
But it's the first time in my life
Anyone's arranged to meet me
At the Chalcography department!

(II.)

I know the Soft Furnishings department,
Cutlery, Silverware,
Fancy Goods,
The Tea Towel and Linen departments,
But this one,
I don't know it at all!

Is this a new department they've opened?
I've been to the Louvre twenty times,
But it's the first time in my life
Anyone's arranged to meet me
At the Chalcography department!

Second Tableau

INTERMEZZO

(NO. 11 – TRIO)

ANTOINETTE, MARIE-ANNE, FÉLICIE,
together or in alternation
O my handsome stranger...
You need only appear...
And even if my eyes...
Have never seen you before...

Mon cœur en vous voyant	As soon as it sees you, my heart
Saura vous reconnaître !	Will recognise you!
Chaque nuit	Every night
Je relis...	I read once more
Vos adorables lettres...	Your darling letters...
Et, vaincue aujourd'hui...	And, utterly conquered...
J'aspire à la folie...	I long for the madness...
Que nous allons commettre !	We are to commit together!
Ô mon bel inconnu, etc.	O my handsome stranger, *etc.*

Vous voilà	Now you are,
De ce cœur...	The lord...
Le seigneur...	And master...
Et le maître.	Of this heart.
Venez, n'attendez pas...	Come, don't delay...
Et cueillez le bonheur...	And reap the happiness
Que vous avez fait naître !	Which you have sown!

(À ce moment, Prosper rentre, traverse le magasin et monte non sans avoir adressé à sa femme et à sa fille un petit sourire qu'elles lui ont rendu. Pendant ce passage, elles ont toutes les trois fredonné la ritournelle qui précède la reprise du refrain et maintenant que le père est sorti, elles le chantent.)

(At this point Prosper comes home, walks through the shop and goes upstairs, having favoured his wife and daughter with a little smile, which they reciprocate. During this passage, all three women have hummed the ritornello that precedes the reprise of the refrain; once Prosper is out of the room, they sing it again.)

Ô mon bel inconnu, etc.

O my handsome stranger, *etc.*

[Dialogue]

(Aussitôt que Prosper est sorti après la chanson de « Ô mon bel inconnu », Antoinette et Marie-Anne mettent rapidement leur chapeau qu'elles avaient caché, la première sous la caisse, la seconde sous le comptoir.)

ANTOINETTE ET MARIE-ANNE, *ensemble*
Tu sors ?

MARIE-ANNE ET ANTOINETTE
Juste faire une course.

FÉLICIE, *paraissant au haut de l'escalier, son chapeau sur la tête*
Est-ce que Madame veut m'autoriser à aller faire une course ?

[Dialogue]

(As soon as Prosper has left after the song 'Ô mon bel inconnu', Antoinette and Marie-Anne quickly put on their hats, which they had hidden, respectively, under the cash register and under the counter.)

ANTOINETTE, MARIE-ANNE, *together*
Are you going out?

MARIE-ANNE, ANTOINETTE
Just going on an errand.

FÉLICIE, *appearing at the top of the stairs, her hat on her head*
Would Madame allow me to go on an errand?

ANTOINETTE
Oui, seulement, nous sortons,
Mademoiselle et moi, et on ne peut pas
laisser le magasin comme ça, sans personne.

FÉLICIE
Xavier n'est donc pas là ?

MARIE-ANNE
Il doit être dans le passage, je l'ai vu il y a
deux minutes.

ANTOINETTE
Le voilà, le voilà.

FÉLICIE
Ah ! Que j'avertisse Madame, on ne sait
jamais, il y a un musée et un magasin du
Louvre.

ANTOINETTE
Je le savais, ma fille.

FÉLICIE
Eh bien, moi, je ne le savais pas et c'est
avec des blagues comme ça qu'on arrive
trop tard à ses rendez-vous.

LE GARÇON, *entrant*
Madame est au courant de ce qui se passe ?

ANTOINETTE
Non, qu'est-ce qui se passe ?

LE GARÇON
Madame ne sait pas ce qu'il a fait ?

ANTOINETTE
Mais qui ?

MARIE-ANNE
Qui ?

FÉLICIE
Qui ?

LE GARÇON
Ce jeune homme...

LES TROIS FEMMES
Quel jeune homme ?

LE GARÇON
Le jeune homme qui achète tout le temps
des chapeaux depuis huit jours...

ANTOINETTE
Oui, eh bien ?

ANTOINETTE
Yes, except that Mademoiselle and I are
going out, and we can't leave the shop like
this without anyone.

FÉLICIE
So Xavier's not here?

MARIE-ANNE
He must be in the passageway. I saw him
two minutes ago.

ANTOINETTE
There he is, there he is.

FÉLICIE
Ah! Let me warn Madame, you never know
when it might come in handy: there's a
museum and a department store
at the Louvre.

ANTOINETTE
I did know that, girl.

FÉLICIE
Well, *I* didn't know, and it's the sort of
trifle that means you miss an
appointment.

THE SHOP ASSISTANT, *entering*
Does Madame know what's going on?

ANTOINETTE
No, what's going on?

THE SHOP ASSISTANT
Madame doesn't know what he's done?

ANTOINETTE
What who's done?

MARIE-ANNE
Who?

FÉLICIE
Who?

THE SHOP ASSISTANT
That young man...

ALL THREE WOMEN
What young man?

THE SHOP ASSISTANT
The young man who's been buying hats all
the time for the past week...

ANTOINETTE
Yes, well?

LE GARÇON
Madame sait pourquoi il faisait ça ?

ANTOINETTE, *troublée*
Mais non, je ne le sais pas.

LE GARÇON
Mademoiselle non plus ?

MARIE-ANNE
Mais non, je n'en sais rien.

LE GARÇON, *à Félicie*
Et vous ?

FÉLICIE
Mais je n'en sais rien non plus.

LE GARÇON
Eh ! Bien moi non plus, Madame, je n'en
sais rien... car il faut qu'il soit fou pour
faire ce qu'il fait là... Il a loué la petite
boutique qui est libre, au bout du
passage... Il a écrit sur la glace « Au melon
d'Espagne » Uni-prix et Uni-pointure : 7...
et il les revend, Madame... il les revend
trente francs, et ici, il les paie cent
cinquante...

ANTOINETTE
Il faut empêcher ça.

LE GARÇON
Il n'y a qu'un moyen pour ça, Madame :
c'est de ne plus lui en vendre.

ANTOINETTE
Parfaitement.

FÉLICIE
Alors, je peux sortir, Madame ?

ANTOINETTE
Si vous voulez.

LE GARÇON
Au revoir, Mesdames. Bonne promenade.

*(Les trois femmes sont sorties. Le Garçon
de Magasin est seul. Le père revient par
l'escalier.)*

LE GARÇON
Est-ce que Monsieur veut que j'aille dans
le passage ?

PROSPER
Pourquoi me demandez-vous ça ?

THE SHOP ASSISTANT
Does Madame know why he was doing
that?

ANTOINETTE, *worried*
No, I don't.

THE SHOP ASSISTANT
Or Mademoiselle?

MARIE-ANNE
No, I've no idea.

THE SHOP ASSISTANT, *to Félicie*
How about you?

FÉLICIE
I've no idea either either.

THE SHOP ASSISTANT
Well, I don't know either, Madame,
because he must be crazy to do what he's
doing... He's rented the little shop that's
free at the end of the passage... He wrote
on the window 'The Spanish Bowler, One
Price, One Size: 7 '... And he's selling
them, Madame! He's selling them for
thirty francs, when he pays a hundred and
fifty for them here...

ANTOINETTE
We've got to stop this.

THE SHOP ASSISTANT
There's only one way to do that, Madame:
don't sell him any more.

ANTOINETTE
Absolutely.

FÉLICIE
So, may I go out, Madame?

ANTOINETTE
If you wish.

THE SHOP ASSISTANT
Goodbye, ladies. Have a nice walk.

*(Exit all three ladies. The Shop Assistant is
alone. Prosper comes up the stairs.)*

THE SHOP ASSISTANT
Does Monsieur want me to go into the
corridor?

PROSPER
Why are you asking me that?

LE GARÇON
Pour plaisanter, Monsieur, j'adore plaisanter...

PROSPER
Eh ! Bien allez-y !...

LE GARÇON
C'est vrai ?... Monsieur veut bien
plaisanter avec moi ! Ça c'est gentil !...
Mon premier est un métal précieux...

PROSPER
Mais qu'est-ce que vous me racontez ?

LE GARÇON
Monsieur m'a dit « allez-y » !

PROSPER
Allez-y... dans le passage.

LE GARÇON
Ah ! Bon, pardon.

(Tristement, il s'éloigne.)

PROSPER, *seul*
Et c'était Félicie, la comtesse !... Ça c'est le
bouquet ! Heureusement qu'elle ne m'a
pas vu !... Elles sont allées chercher toutes
les trois leurs lettres... profitons-en... *(Il est
allé au téléphone. Il a décroché le récepteur.)*
Allo, les télégrammes ?... Ici Gutenberg 63-
41... Je voudrais vous dicter une dépêche,
Monsieur. Agence Victor... Avenue de la
Gare, Biarritz... Vous confirme... location
villa pour quinze jours à dater du 2 avril...
Arriverons lundi... Compliments... Signé :
Aubertin... non... Aubertin... mais non pas
Huberdin... si je m'appelais Huberdin, je
serais le premier à le dire, il n'y a pas de
honte à ça... mais je m'appelle Aubertin...
Eh ! bien, soit allons-y !... Oh !

(Il chante.)

THE SHOP ASSISTANT
As a joke, Monsieur, I love to joke...

PROSPER
Oh! Well, go on then!

THE SHOP ASSISTANT
Really? Monsieur wants to crack jokes
with me! That's nice! My first is a precious
metal...

PROSPER
What on earth are you on about?

THE SHOP ASSISTANT
Monsieur said 'Go on then'!

PROSPER
Go on then... into the corridor.

THE SHOP ASSISTANT
Ah! I see, sorry.

(He exits sadly.)

PROSPER, *alone*
So the Countess was Félicie! That takes
the biscuit! It's a good thing she didn't see
me!... The three of them have gone to pick
up their letters... Let me take advantage of
that... *(He goes to the telephone and picks
up the receiver.)* Hello, Telegram Office?...
This is Gutenberg 63-41 ... I'd like to
dictate a dispatch, Monsieur. Victor Rental
Agency... Avenue de la Gare, Biarritz...
Confirm... villa rental for two weeks from
April 2... Will arrive Monday... Regards...
Signed: Aubertin... No... *Aubertin*, not
Huberdin... If my name were Huberdin, I'd
be the first to say it, there's no shame in
that... but my name is Aubertin... Well, all
right, on we go! Oh!

(He sings.)

(Nº 12 – AIR DU COUP DE TÉLÉPHONE)

(No. 12 – TELEPHONE CALL SONG)

16 PROSPER
Eh ! bien mettez
D'abord un A...
A comme Anna...
Vous fair' ép'ler
Vot' nom comm' ça,
C'est ridicule !

PROSPER
Well then, start
With an A...
A for Anna...
Making someone spell out
His name like that,
It's ridiculous!

A comme Anna,	A for Anna,
U comme Ursul',	U for Ursule,
B comm' bitum'	B for bitumen
Ou baromètr'	Or barometer
Ou bassinoir'	Or bed-warmer,
Vous avez l'choix !	You can take your pick!
E comme Émile',	E for Émile,
Ou comme Ernest,	Or Ernest,
Ou comme Édouard,	Or Édouard,
Ou comme Eusèb'	Or Eusèbe,
Ou comme Eloi !	Or Éloi!
Dieu, quelle barbe !	Oh God, what a bore!
R comm' rhubarb',	R for rhubarb,
Et ça tomb' bien,	Which goes right through you,
T comm' tignass',	T for tresses,
I comme Ignac',	I for Ignace,
Et pour finir...	And finally...
Mettez un N...	Put an N...
Non pas un L,	Not an L
Comm' pour Léon !	For Léon!
Cré nom de nom,	Good grief,
Vous êt's donc sourd,	Are you deaf?
Un N, comm' pour	An N, for
Napoléon...	Napoleon...
Vous savez bien	You know who I mean,
Napoléon ?	Napoleon?
Qui s'est distin-	Who distinguished
Gué à Toulon,	Himself at Toulon,
À Rivoli,	At Rivoli,
À Mondovi...	At Mondovi...
Qui fut emp'reur,	Who was Emperor
Pendant dix ans,	For ten years,
Et puis qu'est mort	And then died
En mil huit cents...	In eighteen hundred...
J'sais plus combien,	And something or other,
À Sainte-Hélène ?	On Saint Helena?

Mais oui, un N...
Enfin, voyons,
C'n'est pas la peine
Que j'vous en dise
Encor plus long :
Na-po-léon !

Oui : Aubertin !
Ah ! nom de Dieu !
Ça y est enfin !
Au r'voir, monsieur !

(Il raccroche le récepteur.)

[Dialogue]

C'était Félicie, la comtesse !... Tant mieux, d'ailleurs, car ç'allait bien compliquer ma vie, cette histoire-là !... Et elle avait une touche avec cette robe rouge, ce boa de plumes blanches !... Comme ça, je les tiens toutes les trois, c'est parfait !...

(À ce moment entre Antoinette, venant du dehors.)

ANTOINETTE, *à son mari*
Tu sais ce qui m'arrive, mon pauvre chéri ?

PROSPER
Mais non. Qu'est-ce qui t'arrive ?

ANTOINETTE
Maman ne va pas très bien.

PROSPER
Comment le sais-tu ?

ANTOINETTE
Par Virginie que j'ai rencontrée et qui venait justement ici pour me l'apprendre.

PROSPER
On aurait pu te l'écrire à toi.

ANTOINETTE
C'est pour que je l'apprenne moins brutalement, qu'ils ont fait ça.

PROSPER
Est-ce que c'est grave ?

Yes, yes, an N...
I mean, come on,
There's no point
In my explaining
Any longer:
Na-po-leon!

Yes: Aubertin!
Ah, Lord almighty!
That's it at last!
Goodbye, Monsieur!

(He hangs up.)

[Dialogue]

The Countess was Félicie! That's all the better, in fact, because that business was going to make my life pretty complicated. And she made quite an impression with that red dress and that white feather boa, too. That way I've got all three of them where I want them. It's perfect!

(At that moment, enter Antoinette, coming from outside.)

ANTOINETTE, *to her husband*
Do you know what I've just learnt, my poor darling?

PROSPER
I don't think so. What have you just learnt?

ANTOINETTE
Mama's health is not so good.

PROSPER
How did you find out?

ANTOINETTE
From Virginie, whom I met just as she was coming here to tell me.

PROSPER
Someone could have written to tell you.

ANTOINETTE
They did it that way so I wouldn't find out so abruptly.

PROSPER
Is it serious?

ANTOINETTE
Ben... oui et non... Elle va sur ses soixante-dix ans, tu sais.

PROSPER
Nous y allons tous... espérons-le, du moins... Alors, qu'est-ce qu'on va faire ?

ANTOINETTE
Je ne peux pas ne pas y aller.

PROSPER
Évidemment ! Eh bien ! vas-y. J'en profiterai pour aller passer huit jours à Saint-Germain, chez ma cousine.

ANTOINETTE
Mais tu seras sage ?

PROSPER
Autant que toi.

ANTOINETTE
Autant que moi...

PROSPER
Ça t'inquiète ?

ANTOINETTE
Oh... chez maman !

(Elle est déjà sur l'escalier.)

PROSPER
Veux-tu me préparer tout de suite ma valise, s'il te plaît ?

ANTOINETTE
Mais je pense bien !

(À peine est-elle sortie que Marie-Anne est entrée, venant du dehors.)

MARIE-ANNE
Tu sais ce qui m'arrive, papa ?

PROSPER
Non, ma petite fille. Qu'est-ce qui t'arrive ?

MARIE-ANNE
Je viens de recevoir une dépêche d'Henriette, ma petite amie de pension, tu sais, que j'aime tant... Elle m'annonce son mariage pour mercredi et elle me supplie d'être sa demoiselle d'honneur. Je n'ose pas refuser. Qu'est-ce que tu ferais, toi, à ma place ?

PROSPER
Je ne me vois pas bien en demoiselle d'honneur.

ANTOINETTE
Well... yes and no... She's going on for seventy, you know.

PROSPER
We're all going on for seventy... at least, let's hope so... So, what are we going to do?

ANTOINETTE
I can't not go.

PROSPER
Of course! Well then! Go ahead. I'll take the opportunity to spend eight days at my cousin's house in Saint-Germain.

ANTOINETTE
But you'll be good?

PROSPER
As good as you will.

ANTOINETTE
As good as I will...

PROSPER
Are you worried about that?

ANTOINETTE
Oh... at Mama's house!

(She is already on the stairs.)

PROSPER
Will you pack my suitcase for me right away, please?

ANTOINETTE
But of course!

(No sooner has she gone out than Marie-Anne comes in from outside.)

MARIE-ANNE
Do you know what I've just learnt, Papa?

PROSPER
No, my little girl. What have you just learnt?

MARIE-ANNE
I've just received a wire from Henriette, my friend from boarding school, you know the one, whom I love so much... She tells me she's getting married on Wednesday and begs me to be her bridesmaid. I don't dare refuse. What would you do in my position?

PROSPER
I don't really see myself as a bridesmaid.

MARIE-ANNE
Non, je veux dire... si tu étais ma fille,
qu'est-ce que tu ferais ?

PROSPER
C'est encore plus invraisemblable... mais,
je comprends bien ce que tu veux dire. Eh
bien ! mon enfant, si j'étais à ta place, je
dirais simplement à mon père : « Mon
petit papa, permets-moi d'aller passer huit
jours chez ma petite amie de pension ».
Où habite-t-elle ?

MARIE-ANNE
À Troyes, Papa.

PROSPER
Eh bien ! au crépuscule, mon enfant, pars
pour l'Aube !

MARIE-ANNE
Merci, papa.

PROSPER, *à part*
Et de deux...

*(À peine est-elle sortie que Félicie est entrée
venant du dehors.)*

FÉLICIE, *entrant*
Monsieur... je viens justement donner mes
huit jours à Monsieur.

PROSPER
Vos huit jours... allons donc !

FÉLICIE
Oui, Monsieur. Mais ce n'est pas
uniquement à cause du caractère de
Monsieur que je m'en vais...

PROSPER
Qu'est-ce qu'il a donc, mon caractère ?

FÉLICIE
Ben... on en a vu de meilleurs. Bon, si je
m'en vais, Monsieur, c'est parce qu'enfin...
je suis tout de même une femme.
Monsieur me comprend, n'est-ce pas ?

PROSPER
D'autant plus que ce n'est pas très difficile
à comprendre.

FÉLICIE
C'est très gentil de faire l'amour dans les
coins, toujours très vite, en se cachant...
seulement, un beau jour, on en a assez...
J'en ai assez... et maintenant, je veux le
faire, le front haut...

MARIE-ANNE
No, I mean... if you were my daughter,
what would you do?

PROSPER
That's even more implausible... but I know
what you mean. Well, my child, if I were in
your place, I would simply say to my
father: 'Darling Papa, please let me spend
a week with my friend from boarding
school.' Where does she live?

MARIE-ANNE
In Troyes, Papa.

PROSPER
Well then! This very evening, my child, set
off for the Aube!

MARIE-ANNE
Thank you, Papa.

PROSPER, *aside*
That makes two...

*(No sooner has she left than Félicie comes
in from outside.)*

FÉLICIE, *entering*
Monsieur... I've just come to give you my
week's notice.

PROSPER
Your week's notice? Really?

FÉLICIE
Yes, Monsieur. But it's not just because of
Monsieur's character that I'm leaving...

PROSPER
What's wrong with my character?

FÉLICIE
Well... one has known better characters.
So, if I'm leaving, Monsieur, it's because in
the end... I'm a woman after all. Monsieur
understands me, doesn't he?

PROSPER
Especially since it's not very difficult to
understand.

FÉLICIE
It's all very fine to go courting in the
corners, always very quickly, hiding... Only,
one day, one gets fed up with it... I am fed
up with it... and now I want to do it with
my head held high...

PROSPER
Vous pouvez toujours essayer, en tous cas,
ce n'est peut-être pas désagréable.

FÉLICIE
Quand je dis le front haut, je veux dire...
ouvertement ! Je voulais bien être bonne...

PROSPER
Mais vous ne voulez pas être bête !

FÉLICIE
Exactement. Or, j'ai trouvé quelqu'un...
quelqu'un d'inespéré... célib' et riche...

PROSPER
Comment ?

FÉLICIE
Célibataire et riche... et qui cherchait une
âme sœur.

PROSPER
Et c'était vous ?

FÉLICIE
Monsieur l'a dit. Alors Monsieur ne m'en
voudra pas si je m'en vais ?

PROSPER
Mais pas le moins du monde.

FÉLICIE
Que Monsieur se mette à ma place...

PROSPER
Comme femme de chambre, ici ?

FÉLICIE
Non, je demande à Monsieur si, à ma place,
il ne ferait pas la même chose que moi.

PROSPER
Je ne peux pas me mettre à la place de
tout le monde, vous savez.

FÉLICIE
Le principal, c'est que Monsieur me
comprenne et qu'il ne m'en veuille pas.

PROSPER
Pour vous prouver à quel point je ne vous
en veux pas, si vous avez une déception...
eh bien... revenez, vous reprendrez votre
place.

FÉLICIE
Ça, c'est gentil, Monsieur. C'est d'autant
plus gentil que j'espère bien ne pas revenir.

PROSPER
You can always try; at least it may not be
unpleasant.

FÉLICIE
When I say with my head held high, I mean...
openly! I was happy enough to be a maid...

PROSPER
But you don't want to be stupid!

FÉLICIE
Exactly. Now, I've found someone...
someone I'd never hoped for... Sing. gent.,
comf. circ....

PROSPER
What?

FÉLICIE
A single gentleman in comfortable
circumstances... and looking for a soul mate.

PROSPER
And that was you?

FÉLICIE
As you say, Monsieur. Then Monsieur
won't mind if I leave?

PROSPER
Not in the least.

FÉLICIE
Let Monsieur put himself in my place...

PROSPER
As a maid here?

FÉLICIE
No, I'm asking Monsieur if, in my place, he
wouldn't do the same thing.

PROSPER
I can't put myself in everyone's place,
you know.

FÉLICIE
The most important thing is that Monsieur
understands me and doesn't hold it
against me.

PROSPER
To prove to you that I don't hold it against
you at all, if this turns out to be a
disappointment... well... come back, you
can resume your position.

FÉLICIE
That's kind, Monsieur. It's even kinder
since I truly hope I won't come back.

PROSPER
Au revoir, ma fille.

FÉLICIE
Au revoir, mon père... pardon, au revoir,
Monsieur.

*(Félicie sort. Entre Lallumette, une valise à
la main.)*

PROSPER
Tu t'en vas, toi aussi ? *(Lallumette fait
signe que oui.)* Où vas-tu ? *(Lallumette fait
un signe qui justifie la question suivante)*
Au ciel ? *(Lallumette fait signe que « non ».
Puis il lui fait souvenir qu'il lui a remis au
tableau précédent, une lettre explicative.)*
Ah ! ta lettre, c'est vrai... Pardon... (Il la
sort de sa poche.) Je ne l'ai pas encore
ouverte, excuse-moi. (Il la décachette et la
lit tout bas.) Oh ! Mais ça, c'est
merveilleux ! (À ce moment paraît
Antoinette, une valise à la main.)*

ANTOINETTE
Qu'est-ce qui est merveilleux ?

PROSPER
Notre bon Lallumette vient de découvrir
un médecin qui habite le nord de l'Écosse
et qui guérit les muets.

MARIE-ANNE, *entrant sa valise à la main*
Oh !

ANTOINETTE
Quel bonheur !

PROSPER
Assurément, oui, quel bonheur !... mais
nous nous étions tellement fait à ton
mutisme...

*(Lallumette fait signe qu'il ne serait pas
fâché, lui, d'en être guéri.)*

ANTOINETTE
Oui, oh ! vous, je pense bien que ça vous
ferait plaisir de pouvoir exprimer tout
haut votre pensée... mais, ce que Prosper
veut dire, c'est que si, par malheur, le
traitement de ce médecin ne vous réussit
pas, n'en soyez pas autrement désolé...
quant à ceux qui vous aiment...

PROSPER
Le fait est qu'un ami muet, c'est
délicieux...

PROSPER
Goodbye, my child.

FÉLICIE
Goodbye, Father... sorry, goodbye,
Monsieur.

*(Exit Félicie. Enter Lallumette, suitcase in
hand.)*

PROSPER
Are you leaving too? *(Lallumette nods.)*
Where are you going? *(Lallumette makes a
sign that justifies the next question.)* To
heaven? *(Lallumette shakes his head. Then
he indicates to Prosper that he gave him a
letter of explanation.)* Ah! Your letter, it's
true... I'm sorry... (He takes it out of his
pocket.) I haven't opened it yet, excuse
me. (He unseals it and reads it in an
undertone.) Oh! But that's wonderful! (At
this moment Antoinette appears, with a
suitcase in her hand.)*

ANTOINETTE
What's wonderful?

PROSPER
Our good friend Lallumette has just
discovered a doctor who lives in the north
of Scotland and who cures mutes.

MARIE-ANNE, *entering suitcase in hand*
Oh!

ANTOINETTE
What happiness!

PROSPER
Certainly, yes, what happiness! But we had
got so used to your being mute...

*(Lallumette indicates that, for his part, he
wouldn't at all mind being cured.)*

ANTOINETTE
Oh yes! I'm sure it would please you to be
able to express your thoughts aloud... but
what Prosper means is that if, by some
misfortune, this doctor's treatment
doesn't work for you, don't be too
disappointed... As for those who love
you...

PROSPER
The fact is, it's delightful to have a mute
friend.

ANTOINETTE
On lui raconte tout.

MARIE-ANNE
On se confie à lui...

PROSPER
On ne pourra plus rien lui dire !

MARIE-ANNE
Il parlera sans arrêt pour rattraper le temps perdu.

(Lallumette, que ces plaisanteries font sourire, a sorti de sa poche un petit carnet sur lequel, à plusieurs reprises, il avait pris des notes au cours des deux actes précédents. Il les leur montre et le feuillette.)

PROSPER
Oh ! nom de Dieu !... Il a pris, par écrit, toutes les questions que nous lui avons posées et auxquelles il n'a pas pu répondre !... Oui. Eh bien ! ne montre pas ça... De quoi vient-il se mêler cet Écossais ?... Mais voici l'heure du départ...

(Depuis un instant, Félicie est revenue avec sa valise et celle de Prosper à qui elle la remet.)

PROSPER, *à sa femme*
Donnez-moi, je vous prie, une casquette de voyage. *(Il enlève son chapeau. Ritournelle à l'orchestre. Jean-Paul entre, une valise à la main.)*

JEAN-PAUL
Je voudrais une casquette de voyage. *(puis, bas, à Antoinette)* Je viens vous faire mes adieux. J'ai vendu tous mes chapeaux, et je m'en retourne à Mamers chez mes parents.

ANTOINETTE
Très bonne idée.

JEAN-PAUL
Ingrate ! Quand vous m'y repincerez... à vous pincer le derrière !

(Le Garçon de magasin donne une casquette de voyage à Jean-Paul.)

CLAUDE, *entrant*
Est-ce que vous avez des casquettes de voyage ?

ANTOINETTE
You can tell him everything.

MARIE-ANNE
You can confide in him...

PROSPER
We won't be able to tell him anything any more!

MARIE-ANNE
He'll talk non-stop to make up for lost time.

(Lallumette, smiling at these pleasantries, takes from his pocket a small notebook in which, on several occasions, he has made notes during the two previous acts. He shows them to the others and flips through it.)

PROSPER
Oh, good Lord! He's taken down in writing all the questions we asked him that he couldn't answer!... Yes. Well, don't show anyone that. What's that interfering Scotsman going to get up to? But now it's time to leave...

(A moment ago, Félicie has returned with her suitcase and Prosper's, which she hands to him.)

PROSPER, *to Antoinette*
Could you please pass me a travelling cap? *(He takes off his hat. The orchestra plays an introduction. Enter Jean-Paul, suitcase in hand.)*

JEAN-PAUL
I'd like a travelling cap. *(then, in a low voice, to Antoinette)* I've come to say goodbye. I've sold all my hats, and I'm going back to my parents' house in Mamers.

ANTOINETTE
A very good idea.

JEAN-PAUL
Ingrate! You won't catch me pinching your bottom again!

(The Shop Assistant gives Jean-Paul a travelling cap.)

CLAUDE, *entering*
Do you have any travelling caps?

MARIE-ANNE
Je crois qu'il nous en reste encore une, Monsieur.

(Lallumette fait des signes que l'on ne comprend pas.)

PROSPER, *à Antoinette*
Qu'est-ce qu'il veut ?

(Lallumette a sorti son petit carnet. Le Père lui tend un crayon. Lallumette écrit.)

ANTOINETTE, *lisant par-dessus son épaule*
Il veut une casquette de voyage.

(Le Garçon de magasin passe une casquette à Lallumette et, simultanément, le finale commence.)

MARIE-ANNE
I think we still have one left, Monsieur.

(Lallumette makes signs no one can understand.)

PROSPER, *to Antoinette*
What does he want?

(Lallumette takes out his little notebook. Prosper hands him a pencil. Lallumette writes.)

ANTOINETTE, *reading over his shoulder*
He wants a travelling cap.

(The Shop Assistant gives Lallumette a cap and, at the same time, the finale begins.)

(Nº 13 – FINALE)

17 TOUS
Partons !

LE GARÇON DE MAGASIN
Je dis « partons », mais je crois bien
Que, dans ma condition modeste
Il n'en est rien,
Et que je reste !

TOUS
Partons !

ANTOINETTE
Je m'en vais donc jusqu'à Quimper,
Passer huit jours avec ma mère !

JEAN-PAUL
Et moi je m'retire à Mamers
Pour continuer l'métier d'mon père...
Et l'on n'me r'verra jamais plus !
Mon rôle ici va s'arrêter
Si, par bonheur, je vous ai plu
C'est l'moment d'le manifester !

(NO. 13 – FINALE)

ALL
Let's go!

THE SHOP ASSISTANT
I say 'Let's go', but I do believe
That in my humble condition
That's not the case,
And I'll be staying put!

ALL
Let's go!

ANTOINETTE
So I'm off to Quimper,
To spend a week with my mother!

JEAN-PAUL
And I'm moving to Mamers
To take over my father's business...
And you won't be seeing me ever again!
My role here is at an end.
If perchance you enjoyed my contribution,
Now's the time to show it!

PROSPER
Moi j'irai p't'être passer ma s'maine
Avec mon p'tit cousin germain...
À moins que j'n'aille à Saint-Germain...
Avec ma petit' cousin' Germaine !

PROSPER
I might go and spend my week
With my cousin-german...
Unless I go to Saint-Germain...
With my little cousin Germaine!

MARIE-ANNE
Et moi je m'en vais jusqu'à Troyes
Puisqu' Henriette se marie
le trois.

MARIE-ANNE
And I'm off to Troyes,
Since Henriette's getting married
on the third.

CLAUDE
Et moi, peut-être irai-je à Sète
Car j'n'ai rien à faire jusqu'au 7 !

CLAUDE
And perhaps I'll go to Sète,
For I have nothing to do until the seventh!

TOUS
Partons !

ALL
Let's go!

PROSPER
Ou bien j'irai jusqu'à Marennes
Passer huit jours chez mon parrain...
Ou bien alors dans le Bas-Rhin,
Passer huit jours chez ma marraine !

PROSPER
I'll either go all the way to Marennes
To stay a week at my godfather's...
Or else to the Bas-Rhin,
To stay a week at my godmother's!

LALLUMETTE
...

LALLUMETTE
...

TOUS
(parlé) Hein ? Qu'est-ce qu'il dit ?

ALL
(spoken) Eh? What's he saying?

FÉLICIE
On ne pourra jamais, c'est navrant,
Savoir la direction qu'il prend !...

FÉLICIE
What a shame, we'll never know
Which direction he's going in!

PROSPER
Irai-je à Lille ou à Privas ?
Je n'en sais rien, mais je m'en vais...
Irai-je à Tulle ou à Beauvais ?
Je n'en sais rien, mais je m'en vas !

PROSPER
Will I go to Lille or Privas?
I don't know, but off I set...
Will I go to Tulle or Beauvais?
I don't know, but I set off!

MARIE-ANNE
Lorsqu'on regarde la France
N'a-t-on pas l'embarras du choix ?

MARIE-ANNE
When we look at France
Aren't we spoilt for choice?

CLAUDE
Pourtant, chacun a bien le droit
D'avoir un' petit' préférence...

CLAUDE
Yet everyone has the right
To have a little preference...

TOUS
Partons !
Voilà cent fois qu'nous répétons :
partons !
Mais que dit-on pour dire qu'on part,
sinon « partons » ?
Jamais nous ne nous lasserons
De répéter sur tous les tons « partons » !

ALL
Let's go!
We must have repeated it a hundred times:
Let's go!
But what can we say to say we're going,
if not 'Let's go'?
We will never weary
Of repeating in every key: 'Let's go!'

ANTOINETTE
L'département qui m'est l'plus doux,
Je vous avou' que c'est le Cher...

ANTOINETTE
The department that's sweetest to me,
I must admit, is the Cher...

JEAN-PAUL
L'département qui m'est l'plus cher
Je vous avou' que c'est le Doubs !...

JEAN-PAUL
The department that's dearest to me,
I must admit, is the Doubs!

PROSPER
Avoir deux cents bêtes à cornes,
Dans l'département des Deux-Sèvres...

PROSPER
To have two hundred horned beasts
In the department of Deux-Sèvres...

FÉLICIE
N'avoir simplement que deux chèvres
Dans le département de l'Orne...

FÉLICIE
To have just two goats
In the department of the Orne...

CLAUDE
L'un vous dira qu'avec Charlotte,
Il voudrait vivre
au bord de l'eau...

CLAUDE
One fellow will tell you that with Charlotte,
He would like to live
on the banks of the river...

ANTOINETTE
L'autre vous dira qu'avec Charlot
Elle voudrait vivre
au bord du Lot !

ANTOINETTE
One girl will tell you that with Charlot
She would like to live
on the banks of the Lot!

MARIE-ANNE
L'un' voudrait vivre avec René
Dans le département du Gard...

MARIE-ANNE
Another girl would like to live with René
In the department of the Gard...

CLAUDE
Tandis qu'une autre avec Edgar
Dit qu'ell' préfèr' les Pyrénées !

TOUS
Partons !
On n'peut tout d'mêm' pas dire « restons »
Puisque tout l'mond' sait qu'nous partons !
Partons !
Et maintenant nous le jurons
C'est la dernière fois qu'nous l'répétons
Partons !

CLAUDE
While yet another, with Edgar,
Says she prefers the Pyrenees!

ALL
Let's go!
After all, we can hardly say 'Let's stay',
Since everyone knows we're leaving!
Let's go!
And now, we swear,
It's the last time we're going to repeat it:
Let's go!

Toits de Biarritz vers 1910.
Musée Carnavalet, Paris.

Roofscape in Biarritz c.1910.
Musée Carnavalet, Paris.

Acte troisième

Le décor représente l'intérieur d'une villa, sur une plage voisine de Biarritz. Au lever du rideau, personne n'est en scène. La porte s'ouvre et paraît le loueur accompagnant le Père.

ENTRACTE

[*Dialogue*]

M. VICTOR
Et voilà le salon.

PROSPER
Il est très bien. Vous êtes sûr que personne n'est venu me demander ?

M. VICTOR
Je vous en réponds, Monsieur.

PROSPER
Elle est très bien...

M. VICTOR
Oh ! c'est une petite maison modeste... assurément... mais comfortable... et bien placée !

PROSPER
Ah ! ça... le fait est !

M. VICTOR
Ce n'est pas le mieux du pays, mais moi je trouve que c'est la mieux.

PROSPER
Pour quelle raison ?

M. VICTOR
Parce qu'elle est à moi. J'en suis, à la fois, le loueur et le propriétaire !

PROSPER
Ah ! Voilà.

M. VICTOR
Je la loue... parce que c'est la crise... mais pour tout l'or du monde, je ne la vendrais pas !

PROSPER
Je ne crois pas qu'on vous en offrirait ce prix-là, d'ailleurs ! Mais vous avez raison de la garder pour vous. Elle est charmante. Seulement, alors, dites-moi pourquoi y a-t-il « Villa à vendre » sur la maison ?

Act Three

The set represents the interior of a beach villa near Biarritz. When the curtain rises, the stage is empty. The door opens and the landlord appears, accompanying Prosper.

ENTR'ACTE

[*Dialogue*]

M. VICTOR
And this is the living room.

PROSPER
It's fine. Are you sure no one came asking for me?

M. VICTOR
I can guarantee it, Monsieur.

PROSPER
The place is fine...

M. VICTOR
Oh, it's a modest little house, to be sure, but comfortable... and well situated!

PROSPER
Ah, no doubt about it!

M. VICTOR
It's not the best in the area, but I think it is.

PROSPER
Why is that?

M. VICTOR
Because it's mine. I both rent it out and own it.

PROSPER
Ah, I see.

M. VICTOR
I rent it out – because of the crisis – but I wouldn't sell it for all the gold in the world!

PROSPER
I don't think anyone would offer you that kind of money, anyway! But you're right to keep it to yourself. It's lovely. But in that case, tell me, why is there a 'Villa for sale' sign on the house?

M. VICTOR
Parce que je ne veux pas la vendre.

PROSPER
?...

M. VICTOR
Monsieur, les gens ne veulent jamais
acheter... et n'achètent jamais que les villas
qui ne sont pas à vendre... Dès qu'il n'y a
pas de pancarte, ils disent : « Ah ! voilà
celle que j'aurais voulu ! » Et on les fait
monter à l'arbre comme on veut !... Tandis
que quand vous mettez « Villa à vendre »
ils n'en veulent pas. Ils disent « Oh ! non...
du moment qu'on la vend, c'est qu'elle
n'est pas bien ! » Les gens sont bêtes...
Alors moi, comme je ne veux pas être
tenté par un gros prix, je l'ai mise à
vendre... et comme ça, je suis sûr qu'on ne
m'en offrira jamais rien !

PROSPER
Car un gros prix, fatalement, ça vous
tenterait...

M. VICTOR
Dame, on est faible !... et commerçant,
pour ainsi dire, malgré soi. Elle vaut, pour
moi, sept cent mille francs, ce n'est pas
douteux... on me les offrirait... je dirais
« non »... Mais... quelqu'un saurait qu'elle
m'a coûté quatre cent mille francs... et
vous seriez assez malin pour m'en offrir
quatre cent quarante mille... pas un sou
de moins, pas un sou de plus... je vous la
donnerais ! Le commerçant, vous
comprenez !

PROSPER
Dix pour cent de gain !

M. VICTOR
Exactement !... C'est rigolo !... Et je la
regretterais !

PROSPER
Quatre cent quarante...

M. VICTOR
Oui.

PROSPER
Elle est en plein midi.

M. VICTOR
Jamais ! Elle est à l'ouest d'un bout de

M. VICTOR
Because I don't want to sell it.

PROSPER
Eh?

M. VICTOR
Well, people never want to buy, and never
do buy, anything but houses that are not
for sale... When there's no sign outside,
they say: 'Oh, that's the one I would have
liked!' And you can lead them a merry
dance for the price. Whereas, when you
put 'Villa for sale', they don't want it.
They say, 'Oh no, if they're selling it, it
can't be any good.' People are stupid... So,
as I don't want to be tempted by a high
price, I put it up for sale... and that way,
I'm sure no one will ever offer me
anything for it!

PROSPER
Because a high price would be bound to
tempt you...

M. VICTOR
Why yes, we're weak – and we're all
businessmen at heart, in spite of
ourselves. To me, the house is worth
seven hundred thousand francs, no doubt
about it. If someone offered me that, I
would say 'no'. But if someone knew that
it cost me four hundred thousand francs,
and was cunning enough to offer me four
hundred and forty thousand – not a
centime less, not a centime more – I
would sell it to him! The business sense,
you understand!

PROSPER
Ten per cent profit!

M. VICTOR
Exactly! It's funny, isn't it? And I'd miss
the house!

PROSPER
Four hundred and forty...

M. VICTOR
Yes.

PROSPER
It faces due south.

M. VICTOR
Not at all! It faces west from one end of

l'année à l'autre !

PROSPER
C'est mieux ?

M. VICTOR
Oh ! ben, voyons !... vous avez le soleil
jusqu'à la dernière minute ! Je crois même
que vous êtes le dernier à le voir... sauf les
gens qui sont en mer... Vue imprenable !

PROSPER
Bien sûr. On a beau dire,
c'est beau, la mer !

M. VICTOR
Pourquoi dites-vous : « On a beau dire »...
quelqu'un vous en a dit du mal ?

PROSPER
Oh ! non...

M. VICTOR
Ce serait une calomnie !

PROSPER
Et maintenant parlez-moi de la maison.

the year to the other!

PROSPER
Is that better?

M. VICTOR
Oh yes, honestly! You have the sun until
the last minute. I even think you're the
last to see it, except for someone who's
out at sea... A breathtaking view!

PROSPER
Of course. And say what you like,
the sea is beautiful!

M. VICTOR
What do you mean, 'Say what you like'?
Has someone told you it isn't beautiful?

PROSPER
Oh, no.

M. VICTOR
That would be defamation!

PROSPER
And now tell me about the house.

(Nº 14 – COUPLETS)

(NO. 14 – COUPLETS)

19 M. VICTOR
(I.)
Monsieur, c'est la maison rêvée,
Vous allez pouvoir en juger.
À cet étage, vous avez
Le salon, la salle à manger
Et puis l'entrée,
Bien entendu...
Mais admirez-moi cette vue...
Est-ce joli ?

PROSPER
Oui, très joli...

M. VICTOR
Au second, vous avez
trois lits...

M. VICTOR
(I.)
Monsieur, it's a dream house!
You'll be able to judge for yourself.
On this floor, you have
The living room, the dining room,
And then the hall,
Of course...
But look at the view...
Is it pretty?

PROSPER
Yes, very pretty...

M. VICTOR
On the second floor, you have
three bedrooms...

(II.)
Vous n'avez pas un seul moustique,
Et de mouches, pas davantage.
Mais vous avez, au s'cond étage,
Les deux chambres de domestiques,
Admirez-moi, cher citadin,
Ces tons délicats et rosés...

PROSPER
Et pas d'jardin ?

M. VICTOR
Non, pas d'jardin...
Donc, pas besoin de l'arroser !

(III.)
Ces nuages à l'horizon
Que le zéphyr
semble emporter ;
Vous avez l'électricité
Naturellement, dans la maison,
On croirait des voiles de gaze
Dont s'envelopperait Messaline !
Et vous avez aussi le gaz,
Naturellement dans la cuisine.
Et le soir, assis sur la plage,
Vous pouvez faire la causette ;
Vous avez au second étage
Un excellent...

[Dialogue]

M. VICTOR
Quant au prix de la location, il est exigible à l'entrée en jouissance.

(Il a sorti de sa poche une quittance.)

PROSPER
Oh ! pardon, voici deux mille francs... mais pour huit jours, c'est cher.

M. VICTOR
Je vous ferai observer que c'est pour un mois, Monsieur.

PROSPER
Je ne reste que huit jours.

(II.)
You won't find a single mosquito,
And there are no flies either.
But on the second floor you have
The two servants' rooms.
Just admire, my dear city dweller,
Those delicate, pinkish hues...

PROSPER
And no garden?

M. VICTOR
No, no garden...
So there's no need to water it!

(III.)
Those clouds on the horizon
Which the zephyr
seems to be spiriting away...
(You have electricity
Of course, throughout the house)
... They look like gauze veils
In which Messalina might drape herself!
And you also have gas,
Of course, in the kitchen.
And in the evening you can sit on the beach
And chat away;
You have on the second floor
An excellent...

[Dialogue]

M. VICTOR
And the rent is payable in advance.

(He takes a receipt out of his pocket.)

PROSPER
Oh, pardon me, here's two thousand francs. But it's pricey for a week.

M. VICTOR
I should point out that it's for a month, Monsieur.

PROSPER
I'm only staying a week.

M. VICTOR
Ça, je n'y suis pour rien. Vous changerez peut-être d'avis d'ici là !... Au bout de huit jours, vous serez si bien que vous y resterez peut-être plus longtemps !

PROSPER
Hum, ça m'étonnerait !... Il n'y a ni porto... ni gâteaux secs ? Même très secs ?...

M. VICTOR
Si vous m'aviez prévenu, Monsieur...

PROSPER
Je vais en chercher...

M. VICTOR
Je peux y aller, si vous voulez...

PROSPER
Non... je voudrais des fleurs aussi pour les chambres du haut... et puis... je reviens ! Mais restez là, vous serez gentil... et si quelqu'un se présentait, faites attendre...

M. VICTOR
Ah ! Bon... compris !... On est en bonne fortune, alors ?

PROSPER
Hé, mon Dieu, oui !

M. VICTOR
Eh bien ! je vous envie, Monsieur ! C'était mon rêve, une aventure !

PROSPER
C'est un rêve facile à réaliser...

M. VICTOR
Allons donc ?... Vous connaissez un truc ?

PROSPER
Il en est un de bien simple, allez !

M. VICTOR
C'est que je suis timide... et ce sont les préliminaires qui m'ont toujours fait peur.

PROSPER
Monsieur veut la partie gagnée d'avance.

M. VICTOR
Oui !

M. VICTOR
That's nothing to do with me. Maybe you'll have changed your mind by then. After a week, you'll be so happy that you might stay longer!

PROSPER
Hmm, I'd be surprised if that were the case... Is there no port... or plain biscuits? Even very plain ones?

M. VICTOR
If you had given me some notice, Monsieur...

PROSPER
I'll go and fetch some.

M. VICTOR
I can go, if you like.

PROSPER
No, I'd like to get flowers for the upstairs bedrooms too... and then I'll be back! But please be so kind as to stay here, and if someone comes, ask her to wait.

M. VICTOR
Ah! Right, I understand! You're in luck, then?

PROSPER
Good Lord, yes!

M. VICTOR
Well, I envy you, Monsieur! It has always been my dream to have an affair!

PROSPER
It's an easy dream to realise...

M. VICTOR
Really? Do you have a secret?

PROSPER
There's a perfectly simple one, you know!

M. VICTOR
It's just that I'm shy... and it's the preliminaries that have always scared me.

PROSPER
Monsieur wants the game to be a foregone conclusion.

M. VICTOR
Yes!

PROSPER
Eh bien ! je vous indiquerai mon truc. On
échange trois lettres, et ça fait une
conquête !

M. VICTOR
Sans indiscrétion, c'est une femme
mariée, votre conquête ?

PROSPER
Hé, mon Dieu, oui !

M. VICTOR
Tant mieux !...

PROSPER
Pourquoi « tant mieux » ?

M. VICTOR
Pour la Villa, Monsieur, comme pour le
pays !... Tant pis pour le mari, s'il ne l'a pas
mérité... mais pour le bon renom de la
côte, tant mieux que ce soit quelqu'un de
convenable !... et de discret, fatalement.
C'est un pays conservateur et clérical.
L'adultère, ça va, mais les cocottes, non !...

PROSPER
Les cocottes !... Il dit encore les cocottes...
Il y en a beaucoup dans le pays, des
cocottes ?

M. VICTOR
Oh... heu... ça... pas assez ! Mais je vous
retiens, pardon... À tout de suite, Monsieur !

PROSPER
Je crains de rencontrer quelqu'un. Est-ce
qu'il n'y a pas une autre sortie ?

M. VICTOR
Bon. Partez par la plage, alors, si vous ne
voulez pas qu'on vous voie...

PROSPER
Parfait. Merci.

(Il s'en va par la plage.)

VOIX D'ANTOINETTE
Il n'y a personne ?... Je ne l'aurais pas cru
comme ça.

M. VICTOR, ouvrant la porte
Entrez, Madame. (Entre la mère.)
Entrez, entrez...

PROSPER
Well, I'll tell you my secret. You just have
to exchange three letters, and that gives
you a conquest!

M. VICTOR
Without wishing to be indiscreet, is your
conquest a married woman?

PROSPER
Oh, Good Lord, yes!

M. VICTOR
So much the better.

PROSPER
Why 'so much the better'?

M. VICTOR
For the villa, Monsieur, as well as for the
area! Too bad for the husband, if he doesn't
deserve his fate... but for the good name of
the coast, so much the better if he's a
respectable person! And a discreet one,
inevitably. This is a conservative, pious area.
Adultery is tolerated, but courtesans aren't!

PROSPER
'Courtesans'! He still says 'courtesans',
how old-fashioned... Are there many
courtesans around here?

M. VICTOR
Oh... er... not enough! But I'm holding you
back, sorry... I'll see you shortly, Monsieur!

PROSPER
I'm afraid I might meet someone. Isn't
there another way out?

M. VICTOR
Right, I see. In that case, go by way of the
beach, if you don't want to be spotted...

PROSPER
Perfect, thank you.

(Exit towards the beach.)

VOICE OF ANTOINETTE
Is no one there? I wouldn't have thought it
would be like this.

M. VICTOR, opening the door
Come in, Madame. (Enter Antoinette.)
Come in, come in...

(Nº 14BIS – ENTRÉE D'ANTOINETTE)   (No.14BIS – ENTRANCE OF ANTOINETTE)

20 ENTRÉE   ENTRÉE

[Dialogue]

ANTOINETTE
Je suis troublée...

M. VICTOR
Mais pourquoi donc ?

ANTOINETTE
C'est l'émotion.

M. VICTOR
Asseyez-vous...

ANTOINETTE
C'est de la folie, ce que j'ai fait là !

M. VICTOR
Je suis bien mal placé pour vous juger,
Madame !

ANTOINETTE
Évidemment, ce n'est pas à vous... bien sûr...

M. VICTOR
Mais non !

ANTOINETTE
C'est que c'est la première fois de ma vie
que je fais une chose pareille... croyez-le
bien.

M. VICTOR
Mais je le crois, Madame.

ANTOINETTE
Je suis la plus honnête des femmes... et
dans une heure... dans vingt minutes, peut-
être... ce sera fini !... C'est affreux !

M. VICTOR
Alors, pourquoi le faites-vous ?

ANTOINETTE
Comment... mais...

M. VICTOR
Oui, pourquoi ?... pourquoi ?...

ANTOINETTE
C'est vous qui me le demandez !

M. VICTOR
Pourquoi que je ne vous le demanderais
pas ?... Nous ne nous sommes jamais vus...
vous ne savez pas qui je suis... et moi je ne

[Dialogue]

ANTOINETTE
I'm all flustered...

M. VICTOR
But why is that?

ANTOINETTE
It's the emotion.

M. VICTOR
Sit down.

ANTOINETTE
It's madness, what I've done!

M. VICTOR
I'm in no position to judge you, Madame!

ANTOINETTE
Obviously, it's not up to you... of course...

M. VICTOR
No, no!

ANTOINETTE
It's the first time in my life I've ever done
something like this... you must believe
that.

M. VICTOR
But I do believe it, Madame.

ANTOINETTE
I'm the most honest woman in the world...
and in an hour... in twenty minutes,
maybe... that will all be over! It's awful.

M. VICTOR
Then why are you doing it?

ANTOINETTE
What... but...

M. VICTOR
Yes, why? Why?...

ANTOINETTE
And you're the one who's asking me that?

M. VICTOR
Why shouldn't I ask you? We've never
met before... You don't know who I am...
and I don't know who you are... Let's turn

sais pas qui vous êtes... profitons-en !
Puisque vous me confiez votre émotion...
puisque vous hésitez, en somme... eh
bien ! n'hésitez pas, retournez chez vous !
Dans dix minutes, il sera trop tard.

ANTOINETTE
Mais... vous ne me trouvez pas vilaine ?

M. VICTOR
Oh ! quelle idée !... Je vous trouve
justement très jolie... Je vous trouve même
trop bien...

ANTOINETTE
C'est vrai ?

M. VICTOR
Mais oui.

ANTOINETTE
C'est drôle que ce soit vous qui me
disiez ça...

M. VICTOR
Je vous dis ce que je pense.

ANTOINETTE
Vous m'avez l'air d'un bien brave homme.

M. VICTOR
Je n'aime pas les gens qui font fausse
route. Allez-vous en bien vite. J'ai du
mérite à vous le dire ! car enfin... je parle
contre mon intérêt... Vous seriez peut-être
restée ici quinze jours, un mois, qui sait !
Elle est gentille, ma petite maison !

ANTOINETTE
Elle est charmante... mais c'est vous
surtout qui êtes gentil !... Oui ! c'est très
chic, ce que vous faites là ! *(Elle fouille
dans son sac.)* Alors toutes ces lettres si
jolies... si poétiques...

M. VICTOR
Oh ! Poétiques...

ANTOINETTE
Ah ! si...

M. VICTOR
Mais non !... On les déchire... donnez-moi
ça... *(Elle les lui donne.)* Que ça vous serve
de leçon... et tâchez de reprendre votre
mari ! *(Il les déchire.)* Oubliez-les !

ANTOINETTE
Oui, mais... les miennes ?

---

that to our advantage! Since you tell me
of your emotional turmoil... since you're
hesitating, in short... well, don't hesitate:
go home! In ten minutes it will be too
late.

ANTOINETTE
But... you don't you think I'm unattractive?

M. VICTOR
What an idea! On the contrary, I think
you're very pretty... I even think you're too
good for me...

ANTOINETTE
Is that true?

M. VICTOR
Yes, it is.

ANTOINETTE
It's funny you should be the one to tell
me that...

M. VICTOR
I'm telling you what I think.

ANTOINETTE
You seem like a very decent man.

M. VICTOR
I don't like it when people take a wrong
turning. Get away from here quickly. I
deserve some credit for telling you that...
because, after all, I'm speaking against my
own interest. You might have stayed here
for a fortnight, a month, who knows! My
little house is very nice.

ANTOINETTE
It's charming... but, above all, you're the
nice one! Yes, it's very generous, what
you're doing here! *(She rummages through
her bag.)* So all those lovely letters... so
poetic...

M. VICTOR
Oh, I wouldn't say poetic...

ANTOINETTE
Oh, yes they are!

M. VICTOR
No, no! Let's tear them up... give me those...
(She gives them to him.) Let this be a lesson
to you... and try to get your husband back!
(He tears them up.) Forget them!

ANTOINETTE
Yes, but... what about mine?

M. Victor
Vous les aurez demain...

Antoinette
Pas aujourd'hui ?

M. Victor
J'ai dit demain. Vous n'allez pas manquer de confiance en moi ?...

Antoinette
Oh ! Non...

M. Victor
Alors... Adieu, Madame.

Antoinette
Adieu, Monsieur.

M. Victor
Et puis... entre nous, voyons... un homme chauve... et plus très jeune, et pas très beau... ça n'est pas ça, un amant ! Allez, allez, ne regrettez rien... L'express part pour Paris dans... 25 minutes. Allez vite le prendre !

Antoinette
Adieu, Monsieur.

M. Victor
Adieu, Madame.

Antoinette
Et merci, merci, merci.

M. Victor
De quoi, mon Dieu ?

Antoinette
Oh... et les lettres !... Vous me sauvez !

M. Victor
Sauvez-vous !

(Elle s'en retourne par où elle est venue. Le mari rentre à ce moment. Il est surpris de trouver le salon vide.)

Prosper
Où est-elle ?

M. Victor
Elle est partie !

Prosper
Comment, partie ?

M. Victor
Oui, elle est rentrée chez elle !... Elle a eu des regrets... je dirai même des remords... elle s'est confiée à moi, et je dois vous

M. Victor
You'll have them tomorrow.

Antoinette
Not today?

M. Victor
I said tomorrow. You're not going to say you don't trust me, are you?

Antoinette
Oh no!

M. Victor
So... Farewell, Madame.

Antoinette
Farewell, Monsieur.

M. Victor
And then... just between ourselves, let's be frank: a bald man, none too young, and none too handsome... that's not what a lover is! Go, go, have no regrets... The express leaves for Paris in twenty-five minutes. Go quickly and catch it!

Antoinette
Farewell, Monsieur.

M. Victor
Farewell, Madame.

Antoinette
And thank you, thank you, thank you!

M. Victor
For what, good Lord?

Antoinette
Oh... and the letters! You have saved me!

M. Victor
Now be off with you!

(She goes back out the way she came. Prosper returns immediately afterwards. He is surprised to find the living room empty.)

Prosper
Where is she?

M. Victor
She's gone!

Prosper
What do you mean, gone?

M. Victor
Yes, she went home! She felt regret – I would even say remorse... She confided in me, and I must confess that I did nothing

avouer que je n'ai rien fait pour la retenir.
Et ne regrettez rien... c'est une femme
honnête, Monsieur, ça, voyez-vous et,
dans le fond, au risque de vous désobliger,
elle n'avait aucune envie de tromper son
mari, aucune !...

PROSPER
En êtes-vous bien sûr ?

M. VICTOR
Ça, je vous en réponds !... Pourquoi s'est-
elle compromise avec vous par lettres, je
l'ignore...

PROSPER
Elle vous a tout dit ?

M. VICTOR
J'en ai d'ailleurs été surpris moi-même, je
l'avoue... jugez par là dans quel état
d'émotion la malheureuse se trouvait !...
Nous avons déchiré vos lettres...

PROSPER
Vous avez ?...

M. VICTOR
Oui, Monsieur. Et je lui ai donné ma
parole d'honneur que vous lui renverriez,
demain, les siennes.

PROSPER
Mais vous ne manquez pas d'un toupet...

M. VICTOR
Surprenant !

PROSPER
Vous pouvez le dire !

M. VICTOR
Oh ! mais je le dis...

PROSPER
Elle sait qui vous êtes ?

M. VICTOR
Comment ça ?

PROSPER
Vous lui avez dit qui vous étiez ?

M. VICTOR
Eh ! ma foi, non...

PROSPER
Alors, je crois comprendre... elle vous a
pris pour moi !

to keep her here. And don't regret
anything... She is an honest woman,
Monsieur, you see, and, in the end (not
wishing to offend you), she had no desire
to cheat on her husband, none at all!

PROSPER
Are you sure about that?

M. VICTOR
I guarantee it! Why she compromised
herself with you by letter, I have no
idea...

PROSPER
Did she tell you everything?

M. VICTOR
I was surprised by it myself, I must admit.
That just shows the emotional state the
poor woman was in! We tore up your
letters.

PROSPER
You did?

M. VICTOR
Yes, Monsieur. And I gave her my word of
honour that you would return hers
tomorrow.

PROSPER
You've got quite a nerve...

M. VICTOR
A surprising amount!

PROSPER
You can say that again!

M. VICTOR
And I do...

PROSPER
Does she know who you are?

M. VICTOR
What do you mean?

PROSPER
Did you tell her who you were?

M. VICTOR
Well, no...

PROSPER
Then I think I understand... She mistook
you for me!

M. Victor
Comment, pour vous ?

Prosper
Mais sûrement !

M. Victor
Elle ne vous connaît donc pas ?

Prosper
Mais non !... enfin... non ! Et voilà la raison
pour laquelle elle s'est confiée à vous !...
Où est-elle allée ?

M. Victor
À la gare.

Prosper
À quelle heure passe le prochain train ?

M. Victor
Pour Paris ?

Prosper
Oui.

M. Victor
Dans vingt minutes...

Prosper
Eh bien ! je vais jusqu'à la gare, et je
reviens...

M. Victor
Vous allez lui porter ses lettres ?

Prosper
Exactement !

M. Victor
Ça, c'est très bien !

Prosper
Attendez-moi !

M. Victor
Avec plaisir ! *(Le père s'en va. Seul :)* On
est heureux de constater... *(On sonne.)*
Une seconde !... On est heureux de
constater que, chez la femme, au fond, le
vice est plus fragile encore que la vertu...
ce qui n'est pas peu dire, en somme !

*(On resonne. Entre Félicie, trop élégante,
mais jolie.)*

M. Victor
What? For you?

Prosper
That must be it!

M. Victor
But doesn't she know you?

Prosper
No!... Er, well... no! And that's why she
confided in you! Where did she go?

M. Victor
To the station.

Prosper
What time's the next train?

M. Victor
To Paris?

Prosper
Yes.

M. Victor
In twenty minutes.

Prosper
Well, I'm going to the station, and then I'll
be back.

M. Victor
Are you going to take her letters to her?

Prosper
Exactly!

M. Victor
That's a good thing!

Prosper
Wait for me!

M. Victor
With pleasure! *(Exit Prosper.)* One is
happy to see ... *(The doorbell rings.)* Just
a moment! ... One is happy to see that,
in women, finally, vice is even more
fragile than virtue... and that's saying
something!

*(The bell rings again. Enter Félicie,
somewhat overdressed, but pretty.)*

(N° 14TER – ENTRÉE DE FÉLICIE)   (No. 14TER – ENTRANCE OF FÉLICIE)

21   ENTRÉE   ENTRÉE

[Dialogue]   [Dialogue]

FÉLICIE   FÉLICIE
Oh ! nom de D... ! C'est vous ?... Bonjour !   Oh, good gracious! Are you the one?
(Elle lui tend la main.) Ah ! Comme c'est   Good afternoon! (She extends her hand.)
curieux les idées qu'on se fait !... D'après   Ah! It's strange how one imagines things!
vos lettres, je vous aurai cru beaucoup   Judging by your letters, I'd have thought
plus grand. Ça ne fait rien... avec des   you were much taller. That doesn't
cheveux... enfin... avec encore plus de   matter... And with hair... I mean... with
cheveux !... Mais les cheveux... qu'est-ce   even more hair! But hair – what
que c'est que ça ?... À quoi ça sert... quand importance does that have? What use is
on a... tout le reste !... Et vous l'avez, le it... when you have... the rest! And you
reste... Ah ! oui... C'est dans les yeux, moi, have the rest. Yes, I can see it in your eyes.
que je vois ça !... Ah ! Vos lettres... Qu'est- Ah, your letters... They've been driving me
ce qu'elles m'ont fait travailler du   off my head for the past week.
chapeau, depuis huit jours !

M. VICTOR, à part   M. VICTOR, aside
Il écrit donc à tout le monde, cet homme-   Does that fellow write to everyone?
là ?

FÉLICIE   FÉLICIE
Vous l'avez le don pour écrire, vous !...   You've got a gift for writing, you have! Ah,
ah !... Se faire aimer par lettres... J'ai bien to make someone love you through your
la robe que vous vouliez ? Et mon   letters... I have on the dress you wanted,
chapeau, il vous amuse ?... Et le   don't I? And my hat, does it amuse you?
maquillage, il y en a assez ?... J'obéis bien ? And the make-up: is it enough?... Am I
Pas ? J'aime obéir... chacun ses goûts ! À   obeying your instructions, or not? I like to
propos de ça, au fait... je suis prête... Je   obey... everyone to their own taste! On
tiens mes promesses... Tenez les vôtres !   that subject, by the way: I'm ready. I keep
« Vous entrerez... je serai debout devant la   my promises... now keep yours! 'You will
porte à vous attendre... » Je la sais par   come in... I shall be standing at the door
cœur, cette phrase-là... « et deux minutes   waiting for you...' (I know that sentence by
plus tard, vous serez ma maîtresse »   heart) '... and two minutes later, you will be
Allez-y !... Quoi ?...   my mistress.' Go on then! How about it?

M. VICTOR   M. VICTOR
Asseyez-vous...   Sit down...

FÉLICIE   FÉLICIE
Oh non... pas assise... on n'est pas bien !... Oh no – not sitting down! It's not
mettons-nous là...   comfortable! Let's go over there...

(Elle montre le divan.)   (She points to the couch.)

M. VICTOR   M. VICTOR
C'est difficile de refuser ça...   It's hard to say no to that...

FÉLICIE   FÉLICIE
Mais je pense bien !... Pourquoi que tu le   I should think so too! Why would you say
refuserais, ma nénette... puisque tu   no, dearie, since you love me and I love
m'aimes et que je t'aime !... Tu n'as pas de   you! You're not disappointed, I think, now

déception, je pense, en me voyant ?

M. Victor
Oh ! Pas du tout !...

Félicie
Tu me trouves jolie... enfin, pas mal ?

M. Victor
Mieux que ça encore.

Félicie
Alors ?

M. Victor
Ben oui, je sais bien...

Félicie
Veux-tu qu'on monte ?

M. Victor
Non... pas ici.

Félicie
Pourquoi ? Vous n'êtes donc pas chez vous ?

M. Victor
Si... justement.

Félicie
Alors... autre part. Au Grand Hôtel...

M. Victor
Non, j'aimerais mieux...

Félicie
Qu'on fiche le camp... faire un voyage... Ça, c'est une idée !... Oh ! l'Italie... voir Barcelone !

M. Victor
Oui, enfin... ça... seulement, voilà, c'est délicat de partir comme ça...

Félicie
Mais non... pourquoi ? Ça vous effraie, une aventure ?

M. Victor
Oh ! Non.

Félicie
Alors ? Soyez donc courageux... vous l'êtes, en écrivant... Il faut l'être tout à fait !... On part ?

M. Victor
On part !

you've seen me?

M. Victor
Oh! Not at all!

Félicie
Do you think I'm pretty... well, not bad?

M. Victor
Better than that.

Félicie
Well, then?

M. Victor
Yes, I know...

Félicie
Do you want us to go upstairs?

M. Victor
No... not here.

Félicie
Why? So you're not in your house?

M. Victor
Yes, I am... that's the point.

Félicie
Well, somewhere else then. The Grand Hotel...

M. Victor
No, I'd rather...

Félicie
... Get out of here... go for a trip... Now there's an idea!... Oh, Italy... to see Barcelona!

M. Victor
Yes, well... maybe... It's just that, well, it's awkward to go off like that...

Félicie
No it's not!. Why? Are you afraid of an adventure?

M. Victor
Oh no.

Félicie
Well then? So be brave... You are, when you write... You have to be brave all the way!... Shall we go?

M. Victor
Let's go!

(*N° 15 – CHANSON À DEUX VOIX*)   (*No. 15 – CHANSON FOR TWO VOICES*)

22 (I.)   (I.)
M. VICTOR   M. VICTOR
Qu'est-c' qu'il faut pour être heureux ?   What do you need to be happy?

FÉLICIE   FÉLICIE
Faut un' chose, faut un' chose...   You need one thing, one thing...

M. VICTOR   M. VICTOR
Qu'est-c' qu'il faut pour être heureux ?   What do you need to be happy?

FÉLICIE   FÉLICIE
Faut d'abord être amoureux.   First of all, you have to be in love.

M. VICTOR   M. VICTOR
Faut d'abord être amoureux.   First of all, you have to be in love.

FÉLICIE   FÉLICIE
Mais quand on est amoureux   But when you're in love
Faut deux choses, faut deux choses.   You need two things, two things.

M. VICTOR   M. VICTOR
Mais quand on est amoureux ?   But when you're in love?

FÉLICIE   FÉLICIE
Faut deux choses pour être heureux.   You need two things to be happy.

(II.)   (II.)
M. VICTOR   M. VICTOR
Qu'est-c' qu'il faut pour être heureux ?   What do you need to be happy?

FÉLICIE   FÉLICIE
La jeunesse et la fortune.   Youth and money.
Par bonheur, vous avez l'une,   Luckily, you have one of them,
Et comm' j'ai l'autre, on a les deux !   And since I have the other, we have both!

M. VICTOR   M. VICTOR
Voilà c' qu'il faut pour être heureux !   That's what you need to be happy!

FÉLICIE   FÉLICIE
Qu'est-ce qu'il faut pour être heureux ?   What do you need to be happy?

M. Victor
Faut une chose ! Faut une chose !

Félicie
Qu'est-ce qu'il faut pour être heureux ?

M. Victor
Faut d'abord être amoureux !

(iii.)
Félicie
Mais quand on est amoureux,
Faut deux choses ! Faut deux choses !

M. Victor
Mais quand on est amoureux...

Félicie
Faut deux choses pour être heureux !

M. Victor
Faut deux choses pour être heureux.
Qu'est-ce qu'il faut pour être heureux ?

Félicie
Ça n'peut pas s'dire à voix haute,
J'espère que vous avez l'autre,
Et comme j'ai l'une, on a les deux !

M. Victor et Félicie
V'là c'qu'il faut pour être heureux !...

[Dialogue]
(Sonnerie.)
M. Victor
Non... pas par là... on a sonné... Venez par ici !... On sonne aussi par là !... Alors, monte... tant pis... la première chambre à gauche !... Je t'y rejoins ! *(Elle sort.)* Et je la tutoie... et je m'emballe... et c'est exquis !... *(La porte s'ouvre et Marie-Anne paraît.)* Encore une autre, une troisième !

M. Victor
You need one thing! One thing!

Félicie
What do you need to be happy?

M. Victor
First of all, you have to be in love.

(iii.)
Félicie
But when you're in love,
You need two things! Two things!

M. Victor
But when you're in love...

Félicie
You need two things to be happy!

M. Victor
You need two things to be happy.
What do you need to be happy?

Félicie
It's something you can't say out loud!
I hope you have one of them,
And since I have the other one, we have both!

M. Victor, Félicie
That's what you need to be happy!

[Dialogue]
(The doorbell rings.)
M. Victor
No, not that way... Someone's rung the doorbell... Come this way!... Oh, it's ringing at that door too!... Then go upstairs... never mind.... the first bedroom on the left!... I'll meet you there! *(Exit Félicie.)* And I'm on such familiar terms with her already... and I'm getting carried away... and it's exquisite! *(The door opens and Marie-Anne appears.)* Another one! That's the third!

(N° 15ᴮᴵˢ – Entrée de Marie-Anne)

23 Entrée

[Dialogue]

Marie-Anne, *en le voyant*
Oh...

M. Victor
Non !... Ce n'est pas moi !... Trop tard...
enfin !... je veux dire... asseyez-vous,
Mademoiselle. Il va revenir dans cinq
minutes...

Marie-Anne
Merci, Monsieur...

M. Victor, *en s'en allant*
Mais qu'est-ce qu'il voulait faire de ma
maison, cet homme-là ? C'est inquiétant !

(Il est sorti.)

Marie-Anne, *seule*
Est-ce que je me serais trompée ? *(Elle a
fouillé dans son sac, elle en a sorti une
lettre qu'elle relit.)* Non, non, c'est bien ici.
« Je vous attendrai à la villa 'Mon Rêve' le
2 avril, à six heures. » Il y a peut-être une
seconde villa qui porte ce nom-là... je vais
m'en assurer, c'est plus prudent, quand
même.

*(Elle sort. Entrée de Lallumette.
Simultanément, Lallumette est entré. Il a
déposé sa valise qu'il portait. Il va ouvrir la
porte de la salle à manger. Personne. Il
ouvre la porte qui est au fond, à gauche.
Personne. Il ouvre la porte qui est au
premier plan à gauche, celle par laquelle
sont sortis Félicie et Victor. Il tend l'oreille. Il
entend certainement quelque chose. Il en
sourit, referme la porte et, discrètement, à
pas de loup, s'en retourne et disparaît. À ce
moment, Prosper entre par une autre porte.)*

Prosper
Le train était parti !... Tant pis !... Aux deux
autres, à présent.

*(La porte de gauche, au premier plan,
s'ouvre, et Félicie paraît.)*

Félicie
Il m'a semblé qu'on ouvrait cette porte...
Oh !!!

(No. 15ᴮᴵˢ – Entrance of Marie-Anne)

Entrée

[Dialogue]

Marie-Anne, *seeing him*
Oh...

M. Victor
No! it's not me!... Too late... that is... I
mean... sit down, Mademoiselle. He'll be
back in five minutes...

Marie-Anne
Thank you, Monsieur.

M. Victor, *as he leaves*
But what did that man want to turn my
house into? It's disturbing!

(Exit.)

Marie-Anne, *alone*
Could I have made a mistake? *(She
rummages through her bag, takes out a
letter and reads it again.)* No, no, this is
the place. 'I shall wait for you at the villa
"Mon Rêve" on 2 April, at six o'clock.'
There may be a second villa of that name...
I'll go and make sure, that would be
prudent.

*(She goes out. Simultaneously, Lallumette
enters. He puts down the suitcase he was
carrying. He goes to open the dining-room
door. No one is there. He opens the door
upstage left. No one there either. He opens
the door downstage left, the one through
which Félicie and Victor went out. He
listens. He can definitely hear something.
He smiles, closes the door and, discreetly,
on tiptoe, he turns around and disappears.
At that moment Prosper enters through
another door.)*

Prosper
The train had left! Never mind! I'll deal
with the other two now.

*(The door downstage left opens, and
Félicie enters.)*

Félicie
I thought somebody opened that door...
Oh!!!

PROSPER
Oui...

FÉLICIE
Monsieur !

PROSPER
Parfaitement.

FÉLICIE
Que Monsieur ne me trahisse pas,
surtout ! Ce qui m'arrive est trop beau !...
Monsieur se souvient, l'âme sœur que je
cherchais...

PROSPER
Oui, oui...

FÉLICIE
Eh bien ! je l'ai trouvée, Monsieur.

PROSPER
Ah ! vous l'avez trouvée ?

FÉLICIE
Oui, Monsieur. Et Monsieur sait qui
c'est ?

PROSPER
Non.

FÉLICIE
Eh bien ! c'est le propriétaire de cette
villa... et puis c'est fait !

PROSPER
Quoi... Qu'est-ce qui est fait ?

FÉLICIE
Ben... le... zi-zi... enfin... ça y est !

PROSPER
Ah ! mais il m'embête, ce type-là !

FÉLICIE
Monsieur a l'air surpris !

PROSPER
Ça vous surprend... Moi, ce qui me
surprend, c'est que vous n'ayez pas l'air
plus surpris en me voyant...

FÉLICIE
Moi Monsieur, je ne peux plus m'étonner
de rien, après ce que je viens de voir. Un
homme à qui j'écris, qui me répond... à qui
je dis que je suis comtesse... et qui le
croit... à qui je déclare qu'il est mon rêve...
et qui n'en doute pas... qui me donne des
rendez-vous... qui me fait venir ici... qui
tombe dans mes bras comme on tombe

PROSPER
Yes...

FÉLICIE
Monsieur!

PROSPER
Indeed so.

FÉLICIE
Monsieur, please don't give me away,
above all! What's happening to me is too
wonderful!... Monsieur remembers the
soul mate I was looking for...

PROSPER
Yes, yes...

FÉLICIE
Well, I've found him, Monsieur.

PROSPER
Ah, you've found him, have you?

FÉLICIE
Yes, Monsieur. And does Monsieur know
who it is?

PROSPER
No.

FÉLICIE
Well, he's the owner of this villa... and now
it's done!

PROSPER
What... what's done?

FÉLICIE
Well... his... wee-wee... I mean... that's it!

PROSPER
Oh, that fellow is getting on my nerves!

FÉLICIE
Monsieur looks surprised!

PROSPER
Ah, that surprises you... What surprises *me*
is that you don't seem more surprised
when you see me...

FÉLICIE
Oh Monsieur, nothing can surprise me
any more, after what I've just witnessed. A
man to whom I write, who answers me...
whom I tell I'm a countess... and who
believes it... to whom I declare that he is
my dream... and who doesn't doubt it...
who arranges a rendezvous with me... who
invites me here... who falls into my arms

dans un panneau en étant convaincu que je tombe dans les siens !... Et nous partons ce soir, pour l'Égypte !... C'est effrayant, Monsieur, la naïveté des hommes... enfin de certains hommes ! Mais que Monsieur ne me trahisse pas... car c'est inespéré, vraiment, ce qui m'arrive !... Que Monsieur, surtout, ne lui dise pas qui je suis ! Monsieur m'a laissé partir, il a été gentil... qu'il ne devienne pas méchant !...

PROSPER
Ne craignez rien.

FÉLICIE
Merci, Monsieur, je remonte vite.

PROSPER
Il est là-haut ?

FÉLICIE
Il fait la sieste !

PROSPER
Déjà ? Mes compliments.

FÉLICIE
Et Monsieur ne dira rien ?

PROSPER
Non... et je ne deviendrai pas méchant... bien que vous ne soyez pas restée bonne !

(Elle s'en va. Une porte s'ouvre et Antoinette paraît.)

ANTOINETTE
J'ai manqué mon train ! (Elle voit son mari.) Oh !

PROSPER
Nous avons eu la même idée !... Ça ne nous a pas semblé normal, ce départ si brusque de la petite... et nous l'avons suivie, n'est-ce pas, tous les deux... sans oser nous le dire.

ANTOINETTE
Oui.

PROSPER
Je l'ai vue qui rôdait autour de cette villa... tu m'as vu la guettant... et tu es entrée ?...

ANTOINETTE
Voilà.

PROSPER
Notre inquiétude, en somme, nous a rapprochés tous les deux. Il ne faut pas

the way someone falls into a trap, convinced that I'm falling into his... And we're leaving tonight, for Egypt! It's appalling, Monsieur, how naïve men can be... well, some men! But please, Monsieur, don't give me away... Because, really, I could never have hoped for what's happening to me!... Above all, don't tell him who I am! Monsieur let me go, he was kind... don't let him get nasty now!...

PROSPER
Have no fear.

FÉLICIE
Thank you, Monsieur, I'll go straight back up.

PROSPER
Is he up there?

FÉLICIE
He's having a nap!

PROSPER
Already? My compliments!

FÉLICIE
And Monsieur won't say anything?

PROSPER
No... and I won't get nasty... even though you didn't stay a maid!

(Exit Félicie. A door opens and Antoinette enters.)

ANTOINETTE
I missed my train! (She sees her husband.) Oh!

PROSPER
We both had the same idea! It didn't seem normal to us, the way our little girl suddenly went off... and we followed her, didn't we, both of us... without daring to tell each other.

ANTOINETTE
Yes.

PROSPER
I saw her prowling around this villa... you saw me watching her... and you came in?

ANTOINETTE
That's it.

PROSPER
Our concern, in short, has brought the two of us closer together. She mustn't do

qu'elle fasse une bêtise, cette petite !

ANTOINETTE
Ah ! non... surtout ! C'est trop grave !...

anything stupid, our little girl!

ANTOINETTE
Ah, no... That above all! It's too serious a matter!

(Nº 16 – COLLOQUE)

(No. 16 – COLLOQUE)

24 **PROSPER**
Le mariage ! Ah ! ben, voyons,
Je pense bien !
Je ne vois rien, à mon avis, qui soit plus grave,
Car c'est sa vie que l'on engage !
Et quand je vois des comédies
où l'on se marie à la fin,
Je ne dis pas : « Tout va très bien »,
Mais je me dis, et je le pense,
La comédie, elle, est finie,
Voilà le drame qui commence !

PROSPER
Her marriage! Oh, yes, indeed,
You're quite right!
I can't think of anything more serious,
Because it's a commitment for life!
And when I see comedies
with a wedding at the end,
I don't say 'Everything's fine',
But I tell myself, and I mean it,
The comedy's over,
And now the drama begins!

ANTOINETTE
En effet, la vie en commun
Exige des concessions quotidiennes !

ANTOINETTE
It's true that two people living together
Must make concessions every day!

PROSPER
Quotidiennes !

PROSPER
Every day!

ANTOINETTE
Et l'on n'a pas toujours, je crois,
L'occasion de tomber sur quelqu'un
Qui tout de suite le comprenne !

ANTOINETTE
And I think one doesn't always
Happen to run into someone
Who understands that right away!

PROSPER
Oui, mais ces hommes-là, vois-tu,
Et j'en sais un de cette espèce,
Sitôt qu'ils s'en sont aperçus
Deviennent alors d'une gentillesse
Et d'une tendresse insoupçonnée
Pour mieux se faire pardonner
Le temps passé qu'ils ont perdu !

PROSPER
Yes, but such men, you see
(And I know one like that),
As soon as they realise what they ought to do,
Then become terribly kind
And quite unexpectedly tender,
The better to make amends
For all the time they've wasted in the past!

[Dialogue]

(Il lui a tendu la main et ils sont allés comme instinctivement vers la grande baie vitrée qui s'ouvre sur la mer.)

ANTOINETTE
Oh, quelle vue admirable ! et quelle jolie villa !

PROSPER
Oui... Oh ! attention... j'aperçois Marie-Anne... Elle vient par ici. Cachons-nous. Allons par là...

ANTOINETTE
Par là...

PROSPER
Non, pas par là...

ANTOINETTE
C'est la chambre ?

PROSPER
Non, c'est la salle à manger.

ANTOINETTE
C'est dommage !

(Ils sortent. Marie-Anne revient.)

MARIE-ANNE
Non. Il n'y en a qu'une dans le pays qui s'appelle « Mon Rêve ». C'est étonnant, mais c'est comme ça. Je ne m'étais donc pas trompée, mais ce qui m'étonne, c'est qu'il m'ait donné rendez-vous à six heures... Il est six heures moins le quart, il devrait être là. Qu'il soit en retard, encore ça... mais ce que je voudrais bien, c'est qu'il soit beau... Son écriture et sa façon surtout d'écrire me tranquillisent un peu. N'empêche que je voudrais bien savoir comment il est. Est-il mal ?... Est-il bien ?... je ne le saurai jamais, d'ailleurs, puisque déjà je l'aime.

(Elle chante.)

[Dialogue]

(He has taken her hand, and they have gone, as if instinctively, towards the large bay window that opens onto the sea.)

ANTOINETTE
Oh, what a lovely view! And what a lovely villa!

PROSPER
Yes. Oh, watch out... I see Marie-Anne... She's coming this way. Let's hide. Let's go that way.

ANTOINETTE
This way...

PROSPER
No, not that way...

ANTOINETTE
Is this the bedroom?

PROSPER
No, it's the dining room.

ANTOINETTE
Pity!

(Exeunt. Enter Marie-Anne.)

MARIE-ANNE
No. There's only one in the district called 'Mon Rêve'. It's amazing, but that's the way it is. So I wasn't mistaken, but what surprises me is that he fixed the appointment at six o'clock... It's a quarter to six, he should be here. Well, if he's late, that's not so terrible... but what I would like is for him to be handsome... His handwriting and especially the way he writes are quite reassuring. Nevertheless, I'd like to know what he's like. Is he bad? Is he good?... I'll never know, since I love him already.

(She sings.)

(N° 17 – COUPLETS)

(NO. 17 – COUPLETS)

25 MARIE-ANNE
(1.)
Est-c' qu'il est mal ?
Est-c' qu'il est bien ?

MARIE-ANNE
(1.)
Is he bad?
Is he good?

Je l'trouv'rai bien, s'il n'est pas mal...
Mais s'il est mal... j'peux l'trouver bien !
Est-c' qu'il est bien ?
Est-c' qu'il est mal ?

I'll think he's good, if he's not bad...
But if he's bad... I might still think he's good!
Is he good?
Is he bad?

Lorsque je me fais son portrait
Quand je l'dessin' comm' je l'voudrais
C'est curieux, mais aussitôt...
Je r'vois l'jeun' homm' aux quat' chapeaux !

When I imagine his portrait,
When I paint him the way I'd like him to be,
It's odd, but straight away...
I see the young man with the four hats!

J'ai beau l'imaginer tout p'tit,
J'ai beau l'imaginer gentil
Quand j'dis gentil, j'veux dire idiot,
Je r'vois l'jeun' homm' aux quat' chapeaux !...

Even if I imagine he's tiny,
Even if I imagine he's 'nice'
(When I say nice, I really mean 'dim'),
I see the young man with the four hats!

(II.)
Est-c' qu'il est mal ?
Est-c' qu'il est bien ?
Je l'trouv'rai bien, s'il n'est pas mal...
Je suis inquiète, oh, combien
Est-c' qu'il est mal ?
Est-c' qu'il est bien ?

(II.)
Is he bad?
Is he good?
I'll think he's good, if he's not bad...
But if he's bad... I might still find him good!
Is he good?
Is he bad?

Quand je r'lis ces lettres que j'ai
Je l'imagine un peu âgé
Mais malgré moi tout aussitôt
Je r'vois l'jeun' homm' aux quat' chapeaux !...

When I reread his letters,
I imagine he's a bit on the old side,
But in spite of myself, straight away
I see the young man with the four hats!

J'ai beau l'imaginer très blond
J'ai beau l'imaginer tout rond,
J'ai beau l'imaginer pas beau,
Je r'vois l'jeun' homm' aux quat' chapeaux !...

Even if I imagine he's very blond,
Even if I imagine he's tubby,
Even if I imagine he's not handsome,
I see the young man with the four hats!

Est-c' qu'il est mal ?
Est-c' qu'il est bien ?
S'il n'est pas mal, j'vais l'trouver bien...
S'il n'est pas bien...

Is he bad?
Is he good?
If he's not bad, I'll think he's good...
If he's not good...

(parlé) j'vais m'trouver mal !...

(spoken) I'll feel pretty bad!

[Dialogue]

(Prosper entre à pas de loup. Marie-Anne se lève, brusquement surprise.)

PROSPER, entrant
Qu'est-ce que tu fais ici, toi ?

MARIE-ANNE
Oh ! Papa !

PROSPER
Alors... c'est ça que tu appelles aller à Troyes pour le mariage de ton amie de pension ?

MARIE-ANNE
Je vais t'expliquer, papa...

PROSPER
Je pense bien que tu vas me l'expliquer... et tout de suite encore. Assieds-toi.

(Ils s'asseyent tous les deux.)

MARIE-ANNE
Voilà, papa... tu vas comprendre...

PROSPER
Je l'espère.

MARIE-ANNE
En arrivant à Troyes...

PROSPER
Quand ?

MARIE-ANNE
Le 2... hier au soir.

PROSPER
À quelle heure ?

MARIE-ANNE
À six heures douze...

PROSPER
Exactement ?

MARIE-ANNE
Mais oui, Papa, je trouve sur le quai de la gare, ma petite amie Henriette qui était heureuse, tu comprends... heureuse folle de me revoir... Elle m'embrasse, tu comprends... et elle me demande tout de suite : « Comment vont ton papa et ta maman ? »... Puis elle m'entraîne hors de la gare et me conduit chez elle. On m'accueille... on m'offre à boire une orangeade... et on m'annonce que le mariage est remis de quarante-huit heures... tu comprends...

[Dialogue]

(Prosper enters on tiptoe. Marie-Anne gets up suddenly, surprised.)

PROSPER, entering
What on earth are you doing here?

MARIE-ANNE
Oh! Papa!

PROSPER
So this is what you call going to Troyes for your schoolfriend's wedding?

MARIE-ANNE
I'll explain, Papa...

PROSPER
You certainly are going to explain it to me... and right now. Sit down.

(They both sit down.)

MARIE-ANNE
Now then, Papa... you'll understand...

PROSPER
I hope so.

MARIE-ANNE
When I got to Troyes...

PROSPER
When?

MARIE-ANNE
On the second of April... last night.

PROSPER
At what time?

MARIE-ANNE
At twelve minutes past six...

PROSPER
Precisely?

MARIE-ANNE
Yes, Papa... on the station platform I find my friend Henriette, who was happy, you understand... madly delighted to see me again... She kisses me, you understand... and she asks me at once: 'How are your Papa and Mama?' Then she leads me out of the station and takes me to her house. They welcome me... They give me some orangeade to drink... and they tell me that the wedding has been postponed for forty-eight hours... you understand...

PROSPER
Ne me demande pas tout le temps si je
comprends... Je comprends très bien. Alors ?

MARIE-ANNE
Eh bien ! alors voilà... Quarante-huit
heures à Troyes...

PROSPER
C'est beaucoup ?

MARIE-ANNE
C'est énorme.

PROSPER
Alors Henriette te dit : « Allons passer un
jour ou deux sur la Côte Basque. »

MARIE-ANNE
Comment le sais-tu ?

PROSPER
Je le devine. Vous arrivez ici toutes les
deux...

MARIE-ANNE
Voilà...

PROSPER
Pendant qu'elle va téléphoner à ses parents
pour leur dire que vous êtes bien arrivées...

MARIE-ANNE
Oui...

PROSPER
Tu entres dans une villa, n'importe
laquelle...

MARIE-ANNE
Tout simplement...

PROSPER
Et tu me retrouves !

MARIE-ANNE
C'est merveilleux !

PROSPER
Tout cela est d'une logique et d'une
vraisemblance inouïe...

MARIE-ANNE
N'est-ce pas ?

PROSPER
Malheureusement...

MARIE-ANNE
Malheureusement ?

PROSPER
Don't ask me all the time if I understand...
I understand very well. And then?

MARIE-ANNE
Well, there we are. Forty-eight hours in
Troyes...

PROSPER
Is that a long time?

MARIE-ANNE
It's an eternity.

PROSPER
So Henriette says to you: 'Let's go and
spend a day or two on the Basque Coast.'

MARIE-ANNE
How do you know that?

PROSPER
I can guess. You two get here together...

MARIE-ANNE
Exactly...

PROSPER
While she goes to telephone her parents
to tell them you've arrived safely...

MARIE-ANNE
Yes...

PROSPER
You walk into a villa, any villa...

MARIE-ANNE
Quite simply...

PROSPER
And you find me!

MARIE-ANNE
That's wonderful!

PROSPER
All of this is so incredibly logical and
plausible...

MARIE-ANNE
Isn't it?

PROSPER
Unfortunately...

MARIE-ANNE
Unfortunately?

PROSPER
Ce qui gâte tout...

MARIE-ANNE
Qu'est-ce qui gâte tout ?

PROSPER
Ce qui gâte tout, c'est une dépêche
d'Henriette qui est arrivée à Paris aussitôt
après ton départ...

MARIE-ANNE
D'Henriette ?

PROSPER
Mais oui, d'Henriette, qui te dit... (Il a
sorti une dépêche de sa poche et il lit tout
haut.) « Tout est changé, ne te dérange
pas, suis à Nice où je me marie le mois
prochain... »

MARIE-ANNE
Ben ça, alors !

PROSPER
Qu'est-ce que tu en penses ?

MARIE-ANNE
C'est à ne pas croire !

PROSPER
Ça me paraît cependant plus facile à
croire que ce que tu m'as raconté. (Un
temps, pendant lequel elle blêmit de colère,
puis rougit de honte.) Veux-tu me dire,
maintenant, ce que tu viens faire ici ?

MARIE-ANNE
Non !

PROSPER
Comment, non ?

MARIE-ANNE
Non, je ne veux pas te le dire, et je ne te
le dirai pas...

PROSPER
Eh bien ! moi, je vais te le dire ! Tu
entretiens depuis quinze jours une
correspondance dangereuse, coupable,
indigne d'une jeune fille bien élevée...

MARIE-ANNE
Comment le sais-tu ?

PROSPER
Parce que je t'ai suivie. Je t'ai vue entrer à
la Poste... je t'ai vue en ressortir avec des
lettres que tu lisais en rougissant...

PROSPER
What spoils everything...

MARIE-ANNE
What spoils everything?

PROSPER
What spoils everything is a telegram from
Henriette that arrived in Paris immediately
after you left...

MARIE-ANNE
From Henriette?

PROSPER
Yes, from Henriette, who says... (He takes
a telegram out of his pocket and reads
aloud.) 'Everything's changed, don't
bother to come, I'm in Nice where I'm
getting married next month...'

MARIE-ANNE
Well, what about that!

PROSPER
What do you think of that?

MARIE-ANNE
It's unbelievable!

PROSPER
I find it easier to believe than what you
told me, though. (A moment passes,
during which she grows pale with anger and
then blushes with shame.) Now will you
tell me what you are doing here?

MARIE-ANNE
No!

PROSPER
What do you mean, no?

MARIE-ANNE
No, I don't want to tell you, and I won't
tell you...

PROSPER
Well, I'll tell you! For the past two weeks
you've been pursuing a dangerous,
shameful correspondence, unworthy of a
well-bred young girl...

MARIE-ANNE
How do you know that?

PROSPER
Because I followed you. I saw you go into
the post office... I saw you come out with
letters and blushing as you read them...

MARIE-ANNE
Oui... de plaisir !

PROSPER
Tu l'avoues !

MARIE-ANNE
Bien sûr que je l'avoue ! Pourquoi ne
l'avouerais-je pas ?

PROSPER
Malheureuse !

MARIE-ANNE
Mais non, pas malheureuse... on n'est pas
malheureuse, quand on aime et qu'on est
aimée !

PROSPER
Quand on aime !

MARIE-ANNE
Mais oui, Papa, je l'aime.

PROSPER
Mais, ma pauvre petite fille, est-ce que tu
t'imagines qu'on peut aimer quelqu'un
sans l'avoir jamais vu ?

MARIE-ANNE
La preuve...

PROSPER
Ne me dis pas que tu l'aimes... Voyons, ne
me dis pas une chose pareille !... Tu ne sais
pas qui est cet homme ?...

MARIE-ANNE
Je le sais tout de même mieux que toi.

PROSPER
En es-tu sûre ?

MARIE-ANNE
Mais bien sûr, oui, que j'en suis sûre !... Tu
n'as pas lu ses lettres, toi !... Tu ne sais pas
les jolies choses qu'il m'écrit...

PROSPER
De jolies choses ?

MARIE-ANNE
Ravissantes ! Et délicates... et bien
tournées ! C'est bien simple, papa, de
deux choses l'une, ou il m'adore, ou bien
c'est un poète...

PROSPER
Et si c'est un poète ?

MARIE-ANNE
Yes... with pleasure!

PROSPER
You admit it!

MARIE-ANNE
Of course I admit it! Why shouldn't I
admit it?

PROSPER
You miserable girl!

MARIE-ANNE
No, not miserable... you're not miserable
when you love and are loved!

PROSPER
When you love!

MARIE-ANNE
Yes, Papa, I love him.

PROSPER
But, my poor little girl, do you imagine
loving someone without ever having seen
him?

MARIE-ANNE
I'm living proof that it's possible...

PROSPER
Don't tell me you love him... Come on,
don't tell me any such thing! Don't you
know who this man is?

MARIE-ANNE
At any rate, I know better than you do.

PROSPER
Are you sure of that?

MARIE-ANNE
Of course I'm sure of it! You haven't read
his letters, have you? You don't know the
pretty things he writes to me...

PROSPER
Pretty things?

MARIE-ANNE
Ravishing! And delicate... and well
phrased! It's quite simple, Papa, there are
only two possibilities. Either he adores
me, or he's a poet...

PROSPER
And what if he's a poet?

MARIE-ANNE
Alors c'est moi qui l'aime. En tous cas, il est jeune et je suis sûre qu'il est beau !

PROSPER
Mais non, mais non, mais non... Il ne faut pas que tu te fasses des idées pareilles !... Jeune et beau !... Si je te disais que je l'ai vu... que je le connais... si je jurais qu'il n'est pas jeune et qu'il est laid ?

MARIE-ANNE
Je ne te croirais pas.

PROSPER
Écoute-moi... écoute-moi bien...

MARIE-ANNE
Non, je ne veux pas t'entendre... laisse-moi...

PROSPER
En voilà une façon de se révolter contre son vieux papa !... Viens t'asseoir sur mes genoux, comme autrefois !

MARIE-ANNE
Comme autrefois ?

PROSPER
Tu t'en souviens ?

MARIE-ANNE
Mais non, Papa... C'est tellement loin ! Comment veux-tu que je m'en souvienne... j'étais trop petite !

PROSPER
Réponds-moi tout de même. Il le faut. Pourquoi as-tu écrit à cet homme ? Pourquoi as-tu répondu à ses lettres ?... Pourquoi viens-tu à son appel ? Tu ne peux pas ne pas te rendre compte de la gravité de ce que tu as fait ? Si le hasard ne m'en avait pas informé, si je ne m'étais pas trouvé ici aujourd'hui, tu te serais déshonorée, mon enfant...

MARIE-ANNE
Pourquoi déshonorée ? Il me propose de l'épouser...

PROSPER
T'épouser !... Mais mon pauvre petit... les propositions de cet inconnu, si elles ne t'ont pas révoltée... auraient dû te faire sourire...

MARIE-ANNE
Then I'm the one who loves him. Anyway, he's young and I'm sure he's handsome!

PROSPER
No, no, no... You mustn't get ideas like that into your head! Young and handsome! What if I told you that I've seen him... that I know him... if I swore to you that he's not young and he's ugly?

MARIE-ANNE
I wouldn't believe you.

PROSPER
Listen to me... listen to me carefully...

MARIE-ANNE
No, I don't want to hear you... leave me alone...

PROSPER
What a way to rebel against your old Papa... Come and sit on my lap, the way you used to!

MARIE-ANNE
The way I used to?

PROSPER
Do you remember that?

MARIE-ANNE
But no, Papa... That was so long ago! How am I supposed to remember? I was too little!

PROSPER
Answer me all the same. You must. Why did you write to this man? Why did you answer his letters? Why did you come here at his call? Can't you realise the seriousness of what you've done? If I hadn't found out by chance, if I hadn't been here today, you would have dishonoured yourself, my child...

MARIE-ANNE
Why dishonoured? He asks me to marry him...

PROSPER
Marry you! But my poor girl... this stranger's proposals, if they didn't revolt you... should have made you smile...

MARIE-ANNE
Elles n'ont rien qui soit risible !

PROSPER
Tu les as crues sincères ?

MARIE-ANNE
Elles le sont, papa.

PROSPER
Tu ne crois pas plutôt qu'il s'est moqué de toi ?

MARIE-ANNE
Oh, non, Papa, sûrement pas !... Il y a des phrases... Il y a des mots... Il y a même des...

PROSPER
Des quoi ?

MARIE-ANNE
Des points d'exclamation, tiens, qui ne trompent pas !

PROSPER
Mais, mon enfant chérie...

MARIE-ANNE
C'est mon premier bonheur, papa, ne me le détruis pas... je parcours un roman... et je voudrais savoir comment ça finit. Ce n'est pas méchant ?

(La musique commence et le Père, en chantant, répond.)

[Duo que Hahn n'a pas mis en musique]

PROSPER
Non, c'est charmant...
Mais la vie n'est pas un roman !
Et ce n'est pas, hélas, ainsi
Qu'on peut fonder une famille.
Ah ! crois-en bien ton vieux papa,
Non, ce n'est pas comme cela,
Que se mari'
Un' vrai' jeun' fille !

MARIE-ANNE
Vous me donnez
Depuis déjà bien des années
Au sujet de ce que les gens
Appellent la vi' de famille
Un spectacle, vois-tu, papa
Qui n'est, mon Dieu, peut-être pas

MARIE-ANNE
There's nothing funny about them!

PROSPER
You believed they were sincere?

MARIE-ANNE
They are, Papa.

PROSPER
Don't you think he was making fun of you?

MARIE-ANNE
Oh, no, Papa, certainly not! There are sentences... There are words... There are even...

PROSPER
Even what?

MARIE-ANNE
Exclamation marks that cannot possibly lie!

PROSPER
But, my darling child...

MARIE-ANNE
This is my first moment of happiness, Papa, don't destroy it for me... I'm in the middle of a novel... and I'd like to know how it ends. That's not wicked, is it?

(The music starts and Prosper answers her in song.)

[Duet not set by Hahn]

PROSPER
No, it's charming...
But life is not a novel!
And that is not, alas,
The way to found a household.
Ah, believe your old Papa,
No, that is not the way
A real young girl
Gets married!

MARIE-ANNE
For many years now,
You see, Papa,
You've put on a show for me
About what people
Call family life
Which, good gracious, is perhaps not

Encourageant pour un' jeun' fille !
C'est effrayant
D'entendre toujours ses parents
Qui se chamaillent, se disputent :
« Non, n'fais pas ça... J'f'rai c'que j'voudrai !
Laiss' moi tranquill'... Fich' moi la paix !
Tu m'as dit zut ?
Moi j'te dis crotte !

PROSPER
J'avais déjà
Deux ou trois fois remarqué ça
Surtout avec les jeunes gens
Donc ne crois pas que ça m'étonne
Quand on veut donner des leçons
À des personnes, eh bien ! ce sont
Elles souvent
Qui vous en donnent !

[Dialogue]

MARIE-ANNE
Alors, puisque tu en conviens, papa chéri,
laisse-moi le voir et lui parler pendant...
quoi... cinq minutes. Si je me suis
trompée, va, je serai la première à le
reconnaître. Attends-le avec moi, tiens.

PROSPER
Oh ! ça, bien volontiers !

MARIE-ANNE
S'il n'est pas là dans sept minutes, c'est
qu'il s'est moqué de moi. Alors, je
déchirerai ses lettres et il n'en sera plus
jamais question. Mais comme il est
exactement six heures... j'ai l'impression,
papa, qu'il ne va pas tarder... *(La porte
s'ouvre et Claude paraît.)* Oh... C'est lui !...
Quel bonheur ! *(à son père)* Eh bien ! tu
vois, papa, que je ne m'étais pas trompée.
Avoue qu'il est charmant !

(N° 17BIS – ENTRÉE DE CLAUDE)

26 ENTRÉE

Encouraging for a young girl!
It's appalling
Always to hear one's parents
Bickering and arguing:
'No, don't do that...' – 'I'll do whatever I
want!' – 'Leave me alone!' – 'Get lost!'
'You said dammit?
I say blast it!'

PROSPER
I have already noticed the fact
Two or three times,
Especially with young people;
So don't think I'm surprised that
When you want to give lessons
To people, well, often enough,
They're the ones
Who teach *you* a lesson!

[Dialogue]

MARIE-ANNE
So, since you acknowledge that, dearest
Papa, let me see him and talk to him for –
let's say – five minutes. If I've been
mistaken, you know, I'll be the first to admit
it. Why don't you wait for him with me?

PROSPER
Oh, gladly.

MARIE-ANNE
If he's not here in seven minutes, then he's
been playing around with me. Then I'll
tear up his letters and we'll never mention
it again. But as it's exactly six o'clock... I
have a feeling, Papa, that he'll be here
soon... *(The door opens and Claude
appears.)* Oh... It's him! What happiness!
(to Prosper) Well, you see, Papa, I wasn't
wrong. Admit that he's charming!

(No. 17BIS – ENTRANCE OF CLAUDE)

ENTRÉE

[Dialogue]

CLAUDE
Monsieur, j'ai l'honneur de vous demander
la main de Mademoiselle votre fille... (à
part) On verra bien ce que ça donnera...

PROSPER
Mais... je... alors... comment... Mais qui
êtes-vous, Monsieur ?...

CLAUDE, *lui tendant sa carte*
Claude Aviland, licencié ès lettres, avocat
au Barreau de Paris... donc bientôt
député... futur ministre... président du
Conseil, un jour... puis de la République !...

PROSPER
Vous mettez tout ça sur votre carte ?... Ah !
Non !... Alors, c'est vous, Monsieur...

CLAUDE
Mais oui, Monsieur... c'est moi !

PROSPER
Baissez les yeux, ma fille. *(Elle baisse les
yeux.)* C'est vous, Monsieur, qui avez fait
ça ! *(Claude, surpris, va pour répondre.)*
Chut !... *(Il lui fait signe de répondre comme
lui.)*

CLAUDE
Oui, Monsieur !

PROSPER
Vous avez osé faire une chose pareille !

(Il lui fait signe de dire « oui ».)

CLAUDE
Oui, Monsieur ! *(à mi-voix)* Qu'est-ce que
j'ai fait ?

PROSPER
Il demande ce qu'il a fait !... Vous avez
simplement... baissez les yeux, ma fille !...

MARIE-ANNE
Mais, papa...

PROSPER
Je vous dis de baisser les yeux !... Vous
avez fait, Monsieur, la chose la plus...

MARIE-ANNE
Non, ne dis rien, papa... j'ai une peur
horrible que ce ne soit pas lui...

PROSPER
Pourquoi ?

[Dialogue]

CLAUDE
Monsieur, I have the honour to request
the hand of Mademoiselle your daughter...
(aside) We'll see how that goes down...

PROSPER
But... I... so... what... But who are you,
Monsieur?

CLAUDE, *handing Prosper his card*
Claude Aviland, Bachelor of Arts, lawyer
at the Paris Bar... and therefore soon to be
a member of Parliament... future minister...
President of the Council of Ministers,
some day... and then of the Republic!

PROSPER
And you put all that on your card?... Ah,
no... Then it is you, Monsieur...

CLAUDE
Yes indeed, Monsieur... it is I!

PROSPER
Lower your eyes, daughter. *(She does so.)*
You, Monsieur, have done this! *(Claude,
surprised, is about to answer.)* Shush!... *(He
makes a sign to indicate Claude should
follow his lead.)*

CLAUDE
Yes, Monsieur!

PROSPER
You dared to do such a thing!

(He indicates he should say 'yes'.)

CLAUDE
Yes, Monsieur! *(in an undertone)* What
have I done?

PROSPER
He's asking what he's done!... You merely...
Lower your eyes, daughter!

MARIE-ANNE
But, Papa...

PROSPER
I'm telling you to lower your eyes!... You
have done, Monsieur, the most...

MARIE-ANNE
No, don't say anything, Papa... I'm terribly
afraid it's not him...

PROSPER
Why?

MARIE-ANNE
Je ne sais pas... mais j'en ai peur !

PROSPER
Te plaît-il ?

MARIE-ANNE
Il me plaît... si c'est lui... mais j'ai
l'impression que ce garçon se moque de
nous. Observe combien ses réponses sont
embarrassées...

*(Pendant cette phrase, Prosper a sorti de sa
poche un petit paquet de lettres ; il les agite
dans son dos. Claude le prend et le met
dans sa poche.)*

PROSPER
Laisse-moi faire...

MARIE-ANNE
Non, moi, laisse-moi faire... laisse-moi le
questionner...

PROSPER
Mais jamais de la vie ! *(à Claude)* Non
content d'avoir entretenu avec ma fille une
correspondance anonyme, amoureuse,
coupable... vous avez poussé l'audace
jusqu'à l'inviter à venir passer huit jours
avec vous dans cette villa, que vous avez
louée à cet effet...

CLAUDE
Parfaitement !

PROSPER, *à sa fille*
Donc, c'est bien lui.

MARIE-ANNE
Permets, papa...

PROSPER
Non...

MARIE-ANNE
Si, permets-moi...

PROSPER
Qu'est-ce que tu veux lui demander ?

MARIE-ANNE
La preuve de ce qu'il dit...

PROSPER
Il ne dit rien !

MARIE-ANNE
De ce que tu viens de lui faire dire... avec
une maladresse dont tu ne te rends même

MARIE-ANNE
I don't know... but I'm afraid it isn't!

PROSPER
Do you like him?

MARIE-ANNE
I like him... if it was him... but I have a
feeling this boy is playing with us. See
how ill at ease he is in his answers...

*(During this line, Prosper has taken a small
packet of letters out of his pocket; he waves
it around behind his back. Claude takes it
and puts it in his pocket.)*

PROSPER
Let me deal with this...

MARIE-ANNE
No, let me... let me question him...

PROSPER
Not on your life! *(to Claude)* Not content
with having shamefully pursued an
anonymous amorous correspondence with
my daughter, you have gone so far as to
invite her to come and spend a week with
you in this villa, which you rented for that
purpose...

CLAUDE
Exactly so!

PROSPER, *to Marie-Anne*
You see, it's definitely him.

MARIE-ANNE
Allow me, Papa...

PROSPER
No...

MARIE-ANNE
Yes, allow me...

PROSPER
What do you want to ask him?

MARIE-ANNE
For proof of what he's saying...

PROSPER
He's not saying anything!

MARIE-ANNE
Proof of what you have just made him
say... with a clumsiness of which you're

pas compte, mon pauvre petit papa... (à Claude) Si vous êtes celui, Monsieur, auquel je pense... vous avez dû conserver les lettres que je vous ai écrites...

CLAUDE, *jouant l'homme troublé*
Mais... certainement, Mademoiselle...

MARIE-ANNE
Où sont-elles, je vous prie, ces lettres ?...

CLAUDE
Elles sont dans ma valise... ou bien peut-être... attendez-donc...

MARIE-ANNE, *à son père*
Regarde-le comme il se trouble !... (à Claude) Eh bien ! Monsieur...

CLAUDE
Écoutez, Mademoiselle, en vérité, ces lettres...

MARIE-ANNE
Vous les avez perdues, n'est-ce pas ?

CLAUDE
Non, pas perdues... mais...

MARIE-ANNE
Égarées ?

CLAUDE
Non... mais... j'hésite à les sortir de ma poche, en présence de votre père...

MARIE-ANNE
Mon père est au courant de tout, Monsieur, vous le voyez bien, et c'est lui qui vous les demande, ces lettres !... Demande-les-lui, papa... je t'en supplie !

PROSPER
Ça me gêne beaucoup, mais enfin... oui, je vous demande, Monsieur, de lui rendre ses lettres...

MARIE-ANNE
Il me faut cette preuve...

CLAUDE
Eh bien ! Mademoiselle... alors... dans ces conditions... ces lettres... les voici !

(Il les sort de sa poche. Elle est émue.)

PROSPER
Rends-lui les siennes, alors...

not even aware, my poor dear Papa... (to Claude) If you, Monsieur, are the person I think you are... you must have kept the letters I wrote to you...

CLAUDE, *feigning anxiety*
Oh... certainly, Mademoiselle...

MARIE-ANNE
Where are those letters, if you please?

CLAUDE
They're in my suitcase... or maybe... wait a minute...

MARIE-ANNE, *to her father*
Just see how confused he's getting... (to Claude) Well, Monsieur?

CLAUDE
Listen, Mademoiselle, the truth is, those letters...

MARIE-ANNE
You have lost them, haven't you?

CLAUDE
No, not lost them... but...

MARIE-ANNE
Mislaid them?

CLAUDE
No... but... I hesitate to take them out of my pocket, in your father's presence...

MARIE-ANNE
My father knows everything, Monsieur, as you can very well see, and it is he who is asking you for those letters!... Ask him for them, Papa... I beg you!

PROSPER
I find this very embarrassing, but anyway... Yes, I ask you, Monsieur, to return her letters...

MARIE-ANNE
I need that proof...

CLAUDE
Well, Mademoiselle... in that case... under those circumstances... those letters... here they are!

(He takes them out of his pocket. She is moved.)

PROSPER
Give him back his letters, then.

MARIE-ANNE
Oh ! non…

PROSPER
Mais si !… *(Elle fouille dans son sac.)* Voulez-vous me permettre de les lui montrer ? *(Claude les montre à Marie-Anne.)* Ce sont bien elles ?

MARIE-ANNE
Oui, papa…

(Elle sort de son sac deux ou trois lettres. Son père les prend.)

PROSPER
Et celles-ci sont bien les vôtres ?

CLAUDE
Oui, Monsieur…

PROSPER
D'ailleurs, détruisons-les, si vous le voulez bien… les unes et les autres. Si !… Votre amour aura commencé comme un roman, comme une histoire… un peu… enfin… conservez-en le souvenir… mais n'en conservez pas la preuve ! *(Il déchire toutes les lettres.)* Et puis, si vous voulez m'en croire… n'en parlez à personne… et même, évitez d'en parler entre vous ! *(Il sort.)*

MARIE-ANNE
Oh no!

PROSPER
Yes, you must. *(She rummages through her bag.)* Would you allow me to show them to her? *(Claude shows them to Marie-Anne.)* Are these the ones?

MARIE-ANNE
Yes, Papa.

(She takes two or three letters from her bag. Her father takes them.)

PROSPER
And these are yours, I presume?

CLAUDE
Yes, Monsieur.

PROSPER
Well now, let's destroy them, if you don't mind… both sets of letters. Yes, we ought to!… Your love will have begun like a novel, like a story… a bit… well… you should hold on to your memories of that… but don't keep the proof! *(He tears up all the letters.)* And then, if you want my advice… don't tell anyone… and don't even talk about it between yourselves! *(Exit Prosper.)*

(Nº 18 – DIALOGUE)

(No. 18 – DIALOGUE)

27 CLAUDE
Mais oui, se taire !
Et ce mystère est de saison…

CLAUDE
Yes, we should keep the whole thing quiet!
And to preserve the mystery is quite right…

MARIE-ANNE
Se taire !

MARIE-ANNE
Yes, let's keep it quiet!

CLAUDE
Que votre Père a donc raison !
Notre aventure a commencé
comme un roman…
C'était charmant…

CLAUDE
How right your father is!
Our adventure began
like a novel…
It was delightful…

MARIE-ANNE
C'était charmant !

MARIE-ANNE
It was delightful!

CLAUDE
Tout d'abord, nous nous écrivîmes
Puis un jour...

MARIE-ANNE
Puis un jour...

CLAUDE
Puis un jour, enfin, nous nous vîmes...

MARIE-ANNE
Nous nous vîmes...

CLAUDE
Vous n'm'avez pas trouvé hideux !

MARIE-ANNE
Nous avons chanté tous les deux...

CLAUDE
Et le charme vite opéra ;
Le roman dev'nait un opéra !

MARIE-ANNE
Alors nous posâmes la plume...

CLAUDE
Et je crois bien que nous nous plûmes
Et la comédie commença...
J'aimais bien ça !

MARIE-ANNE
J'aimais bien ça...

CLAUDE
Puis, contrair'ment à la coutume
En nous revoyant
nous nous tûmes,

MARIE-ANNE
Nous nous tûmes...

CLAUDE
First, we wrote to each other...
Then one day...

MARIE-ANNE
Then one day...

CLAUDE
Then one day, at last, we saw each other...

MARIE-ANNE
We saw each other...

CLAUDE
You didn't find me hideous!

MARIE-ANNE
We both sang...

CLAUDE
And soon the spell was cast:
The novel became an opera!

MARIE-ANNE
So we put down our pens...

CLAUDE
And I think we were attracted to each other!
And the comedy began...
I liked it!

MARIE-ANNE
I liked it...

CLAUDE
Then, contrary to custom,
When we saw each other again,
we were silent,

MARIE-ANNE
We were silent...

CLAUDE
Et nos deux mais dans nos deux mains
Nous nous les mîmes
Pour terminer la comédie en pantomime !

MARIE-ANNE
En pantomime !

CLAUDE
En pantomime !

[Dialogue]

(Prosper et Antoinette entrent.)

PROSPER
Antoinette, voici ton gendre.

ANTOINETTE
Oh !

MARIE-ANNE
Maman !

(La première porte de gauche s'ouvre et Monsieur Victor paraît avec Félicie.)

PROSPER, à Monsieur Victor
Voici un chèque de 440 000 francs... c'est le prix de cette villa... (à sa fille)... que j'ajoute à ta dot.

MARIE-ANNE
Oh ! Papa !

ANTOINETTE, à son mari
Mais dis-moi donc... c'est Félicie ?

PROSPER
Félicite-là... Et voilà notre bon Lallumette !

(Lallumette en effet paraît.)

ANTOINETTE
Nous allons tout lui raconter.

(Les personnages présents vont vers lui pour lui parler, mais il les arrête d'un geste, puis, souriant, il descend vers la rampe et fait signe au chef d'orchestre qui n'en croit pas ses yeux. Il insiste et le chef d'orchestre attaque une

CLAUDE
And each of us placed our hands
In the other's
To end the comedy in mime!

MARIE-ANNE
In mime!

CLAUDE
In mime!

[Dialogue]

(Enter Prosper and Antoinette.)

PROSPER
Antoinette, may I introduce your son-in-law?

ANTOINETTE
Oh!

MARIE-ANNE
Mama!

(The first door on the left opens and Monsieur Victor enters with Félicie.)

PROSPER, to M. Victor
Here's a cheque for 440,000 francs. That's the price of this villa... (to his daughter) which I'm adding to your dowry.

MARIE-ANNE
Oh! Papa!

ANTOINETTE, to Prosper
But tell me... isn't that Félicie?

PROSPER
Felicitate her... And here's our good friend Lallumette!

(Lallumette duly appears.)

ANTOINETTE
We'll tell him everything.

(All the characters go to talk to him, but he stops them with a gesture, then, smiling, goes down to the front of the stage and waves to the conductor, who can't believe his eyes. He insists, and the conductor starts an orchestral ritournelle. *Les personnages, surpris, viennent à la rampe, émus, croyant à une farce peut-être, ou bien à un accès de démence. Mais Lallumette se met à chanter.)*

introduction. *The characters, surprised and troubled, come front stage, believing this must be a joke, or perhaps a fit of madness. But Lallumette starts singing.)*

(N° 19 – AIR ET ENSEMBLE)

(NO. 18 – AIR AND ENSEMBLE)

28 LALLUMETTE
À ma naissance
On fut surpris
De mon silence
Et même aussi
L'on s'en émut !
« Cet enfant gigote, il remu',
Disait papa, mais il se tait. »
Car en effet, je gigotais,
Je m'agitais, je remuais...
Oui... mais hélas !... j'étais muet !

LALLUMETTE
When I was born
Everyone was surprised
By my silence,
And, indeed, also
Perplexed!
'That child wriggles, he moves',
Said Papa, 'but he's silent.'
And it's true, I wriggled,
I fidgeted, I moved...
Yes... but alas, I was mute!

Quinze ans passèr'
Oh ! lentement !
Qui me laissèr'
Exactement
Au même point !
Voyant que je ne parlais point
On finissait par s'étonner
De ce long silence obstiné
Et l'on disait que je muais...
Hé... las ! Mais non... j'étais muet !

Fifteen years went by,
Oh, slowly!
And I was left
Exactly
At the same point!
Seeing that I didn't speak,
Everyone ended up being surprised
By that long, obstinate silence,
And they said my voice was breaking...
But alas, no! I was mute!

Et tout' ma vie
Malgré l'envi'
Que j'en avais
Je l'ai passé'
Sans prononcer
Un mot jamais !
Lorsqu'un beau jour on m'indiqua
Le nom d'un médecin fameux –
La nouvelle me suffoqua –
Qui guérissait un cas
Sur deux
Un cas sur deux !
Mon Dieu ! Mon Dieu !

And all my life,
How ever much
I wanted to,
I have spent
Without ever uttering
A single word!
When one fine day I was told
The name of a famous doctor
– The news flabbergasted me –
Who cured one case
In two!
One case in two!
Good Lord! Good Lord!

Ah ! si j'allais être ce cas
Je fus ce cas...
Et je n'eus qu'à
Le consulter
Pour apprendre la vérité !
C'est un vieillard des plus aimables...
Il me reçut, m'examina...
Puis ensuite, il me déclara
Que j'étais, hélas ! in-cu-ra-a-ble !

Tous
Incurable !

(Surprise générale, Lallumette s'est assis, puis brusquement, comme quelqu'un qui se rend compte qu'il a oublié quelque chose, il revient à la rampe et il chante :)

Lallumette
Oubli fatal
Ah ! oui, c'est vrai
Pardonnez-moi
Car j'oubliais
Le principal
Dans mon émoi !
Mais tout de suite, il ajouta,
– Je parle de mon médecin –
Mais tout de suite, il ajouta :
« Ne pleurez pas, tout va
Très bien ! »
Tout va très bien ?
Dites-moi si je parlerais !
« Parler ? Jamais !
Vous resterez
Toujours muet
Mais vous pourrez vous en tirer... »
Voyons, Docteur, vous voulez rire...
Comment pourrai-je m'en tirer ?
Les choses que je voudrai dire
Faudra-t-il toujours les écrire ?
« Vous n'aurez plus à les écrire...
Et vous pourrez vous en tirer ! »
Eh bien ! mes amis, vous voyez,

Ah, if that were the case,
Then I *was* that case...
And all I had to do
Was consult him
To learn the truth!
He's a most pleasant old man...
He received me, examined me...
And then he declared
That I was, alas, incurable!

All
Incurable!

(To general amazement, Lallumette sits down; then suddenly, like someone who realises he has forgotten something, he comes back front stage and sings.)

Lallumette
Oh, a fatal oversight!
Yes, it's true,
Forgive me
For I forgot
The main point
In my excitement!
But at once he added
– I'm talking about my doctor –
At once he added:
'Don't cry, everything
Is all right!'
Everything is all right?
Tell me if I'll speak!
'Speak? Never!
You will always
Remain a mute.
But you can get round that...'
Come on, Doctor, you're kidding...
How will I get round that?
The things I want to say,
Will I still have to write them down?
'You won't have to write them down...
You can get round that!'
Well, my friends, as you see,

Qu'effectivement, je m'en ti-i-re !

(Il fait mine de se retirer, mais les autres l'en empêchent.)

TOUS
Comment fait-il pour s'en tirer,
Car il s'en tire...

ANTOINETTE, MARIE-ANNE ET FÉLICIE
Il ne faut pas vous retirer...

PROSPER
Il faut d'abord nous dire
Comment tu fais pour t'en tirer ?

TOUS
Car il s'en tire !

LALLUMETTE
Mais je m'en tire...

TOUS *(sauf Prosper)*
Mais comment...

PROSPER
C'est vrai pourtant...
C'est certainement le premier muet d' ma
vi' qu' j'entends !...

LALLUMETTE
Eh bien ! je m'en vais vous le dire :
Les choses que je voudrais dire...
Je ne peux pas, hélas ! les dire...
Mais je m'en tire...

TOUS
Mais il s'en tire...

LALLUMETTE
En les chantant !

I can indeed get round that!

(He goes as if to leave, but the others stop him.)

ALL
How can he get round that?
Because he *is* getting round it...

ANTOINETTE, MARIE-ANNE, FÉLICIE
Don't leave...

PROSPER
First you must tell us
How you get round that!

ALL
Because he *is* getting round it!

LALLUMETTE
But I do get round it...

ALL *(except Prosper)*
But how?

PROSPER
And yet it's true...
He's certainly the first mute I've ever heard
in my life!

LALLUMETTE
Well, I'll tell you:
The things I'd like to say...
Alas, I can't say them...
But I get round that...

ALL
But he gets round that...

LALLUMETTE
By singing them!

TOUS En les chantant !	ALL By singing them!
LALLUMETTE En – les – chan – tant !...	LALLUMETTE By singing them!
TOUS Oh !	ALL Oh!
LALLUMETTE Oui !	LALLUMETTE Yes!
TOUS Non !	ALL No!
LALLUMETTE Si ! Et c'est ainsi Do ! Mi ! Sol ! Si ! Que je m'en ti-i-re !	LALLUMETTE Yes! And this – Doh! Me! Soh! Te! – Is how I get round it!
TOUS Et c'est ainsi que bien souvent Chacun s'en tire Dans de grandes occasions...	ALL And that's how, ever so often, Everyone gets round the problem On special occasions...
PROSPER Ainsi, tenez, le mot « pardon ».	PROSPER Because, for example, the words 'Forgive me'...
CLAUDE Le mot « Je t'aime ».	CLAUDE The words 'I love you'...
LALLUMETTE C'est plus facil' de les chanter que de les dire !	LALLUMETTE Are easier to sing than to say!
PROSPER Et je vois même Une autre chose que l'on ose Jamais demander qu'en chantant Lorsque l'on vient à l'avant-scène...	PROSPER And I can even think Of another thing we never dare To ask except when singing, When we come to the front of the stage...

ANTOINETTE
Mais n'insiste pas, je te prie...

FÉLICIE, *parlé*
C'est pas la peine...

MARIE-ANNE
J'ai l'impression qu'ils ont compris...

TOUS
Partez !
Nous pourrions vous d'mander d'rester
Mais nous n'avons pas d'vanité,
Partez !
Mais fait'-nous d'la publicité,
Dans la bonn' société !
Partez !
Mêm' si nous n'le méritons pas,
Cela nous vous l'disons en a-parte,
Partez !
Et veuillez accepter
Nos souhaits les plus sincères
De bonheur et de santé...
Partez !

ANTOINETTE
But please don't insist...

FÉLICIE, *spoken*
You don't need to...

MARIE-ANNE
I think they've understood...

ALL
Go away!
We could ask you to stay...
But we have no vanity,
Go away!
But give us a good press
In polite society!
Go away!
Even if we don't deserve it
(We tell you that in an aside)!
Go away!
And please accept
Our sincerest wishes
Of health and happiness...
Go away!

Véronique Gens : *Antoinette*
Olivia Doray : *Marie-Anne*
Éléonore Pancrazi : *Félicie*
Thomas Dolié : *Prosper*
Yoann Dubruque : *Claude*
Carl Ghazarossian : *Jean-Paul | Hilarion Lallumette*
Jean-Christophe Lanièce : *M. Victor | Un Garçon de magasin*

Orchestre National Avignon-Provence

Samuel Jean
direction

David Zobel : *chef de chant*

Enregistrement réalisé à l'Auditorium Grand Avignon Le Pontet,
du 12 au 14 septembre 2019
Direction artistique, prise de son, montage et mixage : Jiri Heger
Ingénieure du son : Alice Ragon
Assistant : Aurélien Bourgois

℗ 2021 Palazzetto Bru Zane

photo : Franck Juery

photo : Ledroit-Perrin

photo : Buccio Colonna d'Istria

VÉRONIQUE GENS

OLIVIA DORAY

ÉLÉONORE PANCRAZI

photo : Julien Benhamou

THOMAS DOLIÉ

YOANN DUBRUQUE

photo : Sophie Deiss

photo : Souffle Studio

CARL GHAZAROSSIAN

JEAN-CHRISTOPHE LANIÈCE

photo : Alexandra de Laminne

ORCHESTRE NATIONAL AVIGNON-PROVENCE

VIOLON SOLO SUPERSOLISTE
Cordelia Palm

PREMIERS VIOLONS
Sophie Saint-Blancat
Pauline Dangleterre
Marc Aidinian
Sylvie Bonnay
Cécile De Rocca Serra
Jeanne Maizoué
Corinne Puel

DEUXIÈMES VIOLONS
Gabriella Kovacs
Patricia Chaylade
Marie-Anne Morgant
Nathalie Caulier
Natalia Madera
Bo Xiang

ALTOS
Fabrice Durand
Louise Mercier
Michel Tiertant
Laurence Vergez

VIOLONCELLES
Nicolas Paul
Emmanuel Lécureuil
Jean-Christophe Bassou
Nao Shamoto-Kim

CONTREBASSES
Frédéric Béthune
Chia-Hua Lee

FLÛTE
Yaeram Park

CLARINETTES
François Slusznis
Christophe Hocquet

SAXOPHONE
Patrick Saltel

BASSON
Arnaud Coïc

TIMBALES
Hervé Catil

PIANO
David Zobel

Reynaldo Hahn au piano.
Musica, février 1910.

Reynaldo Hahn at the piano.
Musica, February 1910.

REYNALDO HAHN (1874-1947)
Ô mon bel inconnu

Comédie musicale en trois actes.
Livret de Sacha Guitry.
Créée au Théâtre des Bouffes-Parisiens le 5 octobre 1933.
(Éditions Salabert)
Premier enregistrement intégral

Acte premier

Acte deuxième

Premier Tableau

Second Tableau

Acte troisième

Début du trio du *Bel Inconnu* réduit pour piano.
Éditions Salabert.

Start of the 'Bel Inconnu' trio in vocal score.
Éditions Salabert.

Arletty dans *La Viscosa* par Payen.
Bibliothèque nationale de France.

Arletty in *La Viscosa* by Payen.
Bibliothèque Nationale de France, Paris.

Portrait photographique d'Arletty.
Bibliothèque nationale de France.

Photographic portrait of Arletty.
Bibliothèque Nationale de France, Paris.